2-1
중 학 수 학

TOP
OF THE
TOP

1등급 비밀!

최강

TOT

중 학 수 학

1등급 비밀! TOP OF THE TOP

1등급 비밀!

최강

TOT

2-1

중학수학

강남 상위권의 비밀을 담은 교재

학업성취도 우수 중학교의
기출 문제 중 변별력이 있는
우수 문제를 선별하여 담았습니다.

작은 차이로 실력을 높이는 교재

작은 차이로 실수를 유발했던 기출 문제를 통해
개념은 더욱 정확히 이해하게 하고,
함정에 빠질 위험은 줄였습니다.

진짜 수학 잘하는 학생이 보는 교재

수학적 사고력이 필요한 문제, 창의적이고 융합적인
문제를 함께 담아 사고력 및 응용력을 높였습니다.

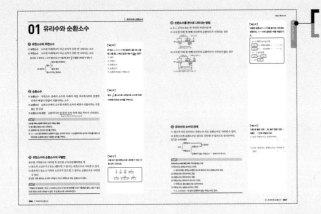

[핵심 개념 & 확인 문제]

중단원별 핵심 개념과 함께
쉽지만 그냥 넘길 수 없는 확인 문제를 담았습니다.

[STEP 1 억울하게 울리는 문제]

'왜 틀렸지?' 하고 문제를 다시 보면
그때서야 함정이 보이는 실수 유발 문제를 담았습니다.

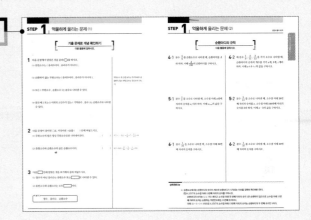

[STEP 2 반드시 등수 올리는 문제]

상위권 학생을 위한 여러 가지 유형의
변별력 문제를 담았습니다.

[STEP 3 전교1등 확실하게 굳히는 문제]

종합적 사고력이 필요한 창의 융합 문제 및
서술형 문제를 담았습니다.

차례 >>

I
유리수와
순환소수

01 유리수와 순환소수

❶ 유한소수와 무한소수

(1) 유한소수　소수점 아래에 0이 아닌 숫자가 유한 번 나타나는 소수
(2) 무한소수　소수점 아래에 0이 아닌 숫자가 무한 번 나타나는 소수

참고　① 유리수: a, b가 정수이고 $b \neq 0$일 때, 분수 $\dfrac{a}{b}$의 꼴로 나타낼 수 있는 수

② 유리수
$\begin{cases} \text{정수} \begin{cases} \text{양의 정수(자연수)} \\ 0 \\ \text{음의 정수} \end{cases} \\ \text{정수가 아닌 유리수} \end{cases}$

[확인 ❶]
두 정수 $a, b(b \neq 0)$에 대하여 a를 b로 나눌 때, 다음 중 그 계산 결과가 될 수 없는 것은?
① 정수
② 자연수
③ 유한소수
④ 순환소수
⑤ 순환하지 않는 무한소수

❷ 순환소수

(1) 순환소수　무한소수 중에서 소수점 아래의 어떤 자리에서부터 일정한 숫자의 배열이 한없이 되풀이되는 소수
(2) 순환마디　순환소수에서 소수점 아래의 숫자의 배열이 되풀이되는 가장 짧은 한 부분
(3) 순환소수의 표현　순환마디의 양 끝의 숫자 위에 점을 찍어서 나타낸다.
└→ 첫 번째 숫자와 마지막 숫자

개념+

소수점 아래 n번째 자리의 숫자 구하는 방법
① 분수를 순환소수로 나타낸다.
② 순환마디의 숫자의 개수를 구한다.
③ {n−(소수점 아래에서 순환하지 않는 숫자의 개수)} ÷ (순환마디의 숫자의 개수)를 해서 나머지만큼 순환마디에서 이동한 숫자를 구한다.

[확인 ❷]
분수 $\dfrac{2}{27}$를 소수로 나타낼 때, 소수점 아래 50번째 자리의 숫자를 구하시오.

❸ 유한소수와 순환소수의 구별법

분수를 기약분수로 나타낸 후 분모를 소인수분해하였을 때
(1) 분모의 소인수가 2 또는 5뿐이면 그 분수는 유한소수로 나타낼 수 있다.
(2) 분모에 2 또는 5 이외의 소인수가 있으면 그 분수는 순환소수로 나타낼 수 있다.

참고　모든 분수는 소수로 나타낼 수 있고, 유한소수 또는 순환소수가 된다.

개념+

기약분수의 분모에 2 또는 5 이외의 소인수가 있으면 분모를 10의 거듭제곱 꼴로 고칠 수 없으므로 유한소수로 나타낼 수 없다. 즉 순환소수로 나타내어진다.

[확인 ❸]
다음 보기 중 유한소수로 나타낼 수 있는 것을 모두 고르시오.

보기
$\dfrac{3}{9}, \dfrac{3}{28}, \dfrac{24}{90}, \dfrac{3}{2^3 \times 5},$
$\dfrac{7}{2 \times 3^2}, \dfrac{15}{2 \times 3 \times 5^2}, \dfrac{12}{2^4 \times 7}$

❹ 순환소수를 분수로 나타내는 방법

a, b, c, d가 0 또는 한 자리의 자연수일 때

(1) 소수점 아래 첫 번째 자리부터 순환마디가 시작되는 경우

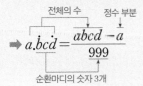

$$\Rightarrow a.\dot{b}c\dot{d} = \frac{\overbrace{abcd}^{전체의\ 수} - \overbrace{a}^{정수\ 부분}}{999}$$

순환마디의 숫자 3개

(2) 소수점 아래 첫 번째 자리부터 순환마디가 시작되지 않는 경우

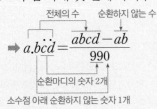

$$\Rightarrow a.b\dot{c}\dot{d} = \frac{\overbrace{abcd}^{전체의\ 수} - \overbrace{ab}^{순환하지\ 않는\ 수}}{990}$$

순환마디의 숫자 2개
소수점 아래 순환하지 않는 숫자 1개

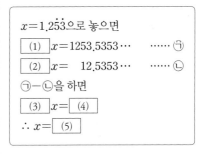

[확인 ❹]

다음은 순환소수 $1.2\dot{5}\dot{3}$을 분수로 나타내는 과정이다. (1)~(5)에 알맞은 수를 써넣으시오.

$x = 1.2\dot{5}\dot{3}$으로 놓으면

(1) $x = 1253.5353\cdots$ ······ ㉠

(2) $x = \;\;\;12.5353\cdots$ ······ ㉡

㉠-㉡을 하면

(3) $x = $ (4)

$\therefore \; x = $ (5)

❺ 유리수와 소수의 관계

(1) 정수가 아닌 유리수는 유한소수 또는 순환소수로 나타낼 수 있다.

(2) 유한소수와 순환소수는 분수로 나타낼 수 있으므로 유리수이다.

 참고 소수의 분류

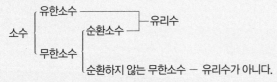

소수 ┬ 유한소수 ──────┬─ 유리수
　　 │　　　　　 순환소수 ─┘
　　 └ 무한소수 ┬ 순환하지 않는 무한소수 ─ 유리수가 아니다.

개념⁺

유리수와 소수에 대한 여러 가지 참 또는 거짓

① 유리수는 유한소수이다. (거짓)

　➡ 유리수에는 유한소수뿐만 아니라 정수도 있고 순환소수도 있다.

② 유한소수는 유리수이다. (참)

③ 순환소수는 유리수이다. (참)

④ 무한소수는 유리수가 아니다. (거짓)

　➡ 무한소수 중 순환소수는 유리수이다.

⑤ 무한소수는 순환소수이다. (거짓)

　➡ π, $1.414213\cdots$과 같이 순환하지 않는 무한소수도 있다.

[확인 ❺]

다음 중 옳은 것은 ○표, 옳지 않은 것은 ×표를 ( ) 안에 써넣으시오.

(1) 모든 무한소수는 유리수이다.

　　　　　　　　　 (　)

(2) 모든 유리수는 유한소수로 나타낼 수 있다. 　　　　 (　)

기출 문제로 개념 확인하기
다음 물음에 답하시오.

1 다음 문장에서 알맞은 것을 골라 ◯를 하시오.

(1) 유한소수는 (유리수이다 , 유리수가 아니다).

(2) 순환하지 않는 무한소수는 (유리수이다 , 유리수가 아니다).

> 무한소수 중 순환소수는 유리수이고 순환하지 않는 무한소수는 유리수가 아니다.

(3) 모든 (무한소수 , 순환소수)는 분수로 나타낼 수 있다.

(4) 분모에 2 또는 5 이외의 소인수가 있는 (기약분수 , 분수)는 순환소수로 나타낼 수 있다.

2 다음 문장이 참이면 ◯표, 거짓이면 ×표를 (   ) 안에 써넣으시오.

(1) 무한소수의 합은 항상 무한소수로만 나타내어진다.　　　(   )

> $0.\dot{1}+(-0.\dot{1})=\frac{1}{9}+\left(-\frac{1}{9}\right)=0$

(2) 유한소수와 순환소수의 곱은 순환소수이다.　　　(   )

> $0.3\times0.\dot{3}=\frac{3}{10}\times\frac{3}{9}=\frac{1}{10}=0.1$

3 다음 ☐ 안에 알맞은 것을 보기에서 골라 써넣으시오.

(1) 정수가 아닌 유리수는 유한소수 또는 ☐로 나타낼 수 있다.

(2) 유한소수와 순환소수는 모두 ☐이다.

┤ 보기 ├
　　　정수,　유리수,　순환소수

순환마디의 규칙

다음 물음에 답하시오.

4-1 분수 $\dfrac{5}{6}$를 순환소수로 나타낼 때, 순환마디를 A라 하자. 이때 $\dfrac{A}{198}$의 순환마디를 구하시오.

4-2 세 분수 $\dfrac{1}{9}$, $\dfrac{2}{11}$, $\dfrac{3}{13}$을 각각 소수로 나타낼 때, 순환마디의 숫자의 개수를 각각 a개, b개, c개라 하자. 이때 $a+b+c$의 값을 구하시오.

5-1 분수 $\dfrac{2}{7}$를 소수로 나타낼 때, 소수점 아래 n번째 자리의 숫자를 a_n이라 하자. 이때 a_{2000}의 값을 구하시오.

5-2 분수 $\dfrac{5}{13}$를 소수로 나타낼 때, 소수점 아래 20번째 자리의 숫자를 a, 소수점 아래 100번째 자리의 숫자를 b라 하자. 이때 $a-b$의 값을 구하시오.

6-1 분수 $\dfrac{1}{22}$을 소수로 나타낼 때, 소수점 아래 30번째 자리의 숫자를 구하시오.

6-2 분수 $\dfrac{4}{35}$를 소수로 나타낼 때, 소수점 아래 50번째 자리의 숫자를 구하시오.

상위권의 눈

▶ 순환소수에서는 순환마디의 숫자의 개수와 순환마디가 시작되는 자리를 정확히 확인해야 한다.

예 $6.1\dot{3}5\dot{7}$의 소수점 아래 12번째 자리의 숫자를 구하시오.

순환마디의 숫자는 3, 5, 7의 3개이고 소수점 아래 첫 번째 자리의 숫자 1은 순환하지 않으므로 소수점 아래 12번째 자리의 숫자는 순환하는 부분만으로는 11번째 숫자이다.

이때 $11=3\times3+2$이므로 $6.1\dot{3}5\dot{7}$의 소수점 아래 12번째 자리의 숫자는 순환마디의 두 번째 숫자인 5이다.

STEP 2 | 반드시 등수 올리는 문제

순환마디의 규칙

01

분수 $\dfrac{2}{21}$ 를 소수로 나타낼 때, 소수점 아래 n번째 자리의 숫자를 a_n이라 하자. 이때 $a_1+a_2+a_3+\cdots+a_{50}$의 값을 구하시오.

02

$\dfrac{3}{14}=\dfrac{x_1}{10}+\dfrac{x_2}{10^2}+\dfrac{x_3}{10^3}+\cdots+\dfrac{x_{15}}{10^{15}}+\cdots$ 를 만족하는 한 자리의 자연수 $x_1, x_2, x_3, \cdots, x_{15}, \cdots$에 대하여 $x_1+x_2+x_3+\cdots+x_{15}$의 값을 구하시오.

03

분수 $\dfrac{4}{7}$ 를 소수로 나타낼 때, 소수점 아래 n번째 자리의 숫자를 $f(n)$이라 하자. 다음 보기 중 옳은 것을 모두 고르시오.

┤ 보기 ├
$\bigcirc$ $f(30)=8$
$\bigcirc$ $f(n)=f(n+5)$
$\bigcirc$ $f(n)=1$을 만족하는 두 자리의 자연수 n은 15개 이다.

04

분수 $\dfrac{22319}{9999}$ 를 소수로 나타낼 때, 소수점 아래 n번째 자리의 숫자를 a_n이라 하고 $\dfrac{6}{7}$을 소수로 나타낼 때, 소수점 아래 n번째 자리의 숫자를 b_n이라 하자. n이 100 이하의 자연수일 때, $a_n=b_n$을 만족하는 자연수 n의 값은 모두 몇 개인지 구하시오.

유한소수로 나타낼 수 있는 분수

05

분수 $\dfrac{156}{375}$ 을 $\dfrac{a}{10^n}$ 의 꼴로 나타낼 때, 두 자연수 a, n에 대하여 $a+n$의 최솟값을 구하시오.

06

분수 $\dfrac{11}{2^3 \times 5^2 \times a}$ 을 소수로 나타내면 유한소수가 된다. 이때 a의 값이 될 수 있는 가장 큰 두 자리의 자연수를 구하시오.

07

두 자연수 a, b에 대하여

$$a \bigstar b = \begin{cases} 1 & \left(\dfrac{a}{b} \text{를 유한소수로 나타낼 수 있을 때}\right) \\ -1 & \left(\dfrac{a}{b} \text{를 유한소수로 나타낼 수 없을 때}\right) \end{cases}$$

로 약속할 때, $(9 \bigstar 21) + (15 \bigstar 8) + (169 \bigstar 65)$의 값을 구하시오.

08

두 분수 $\dfrac{19}{114}$, $\dfrac{9}{140}$에 어떤 자연수 A를 각각 곱하면 두 수 모두 유한소수로 나타낼 수 있다고 한다. 이때 A의 값이 될 수 있는 가장 큰 두 자리의 자연수를 구하시오.

09

다음 조건을 모두 만족하는 자연수 A의 값을 구하시오.

┤ 조건 ├
㈎ A는 세 자리의 홀수이다.

㈏ $\dfrac{A}{630}$ 를 소수로 나타내면 유한소수이다.

㈐ $\dfrac{A}{630} \times 40$은 어떤 자연수의 제곱이다.

10

99개의 분수 $\dfrac{1}{2}, \dfrac{1}{3}, \dfrac{1}{4}, \cdots, \dfrac{1}{99}, \dfrac{1}{100}$ 중에서 유한소수로 나타낼 수 있는 것은 모두 몇 개인지 구하시오.

11

80개의 분수 $\dfrac{21}{30}, \dfrac{22}{30}, \dfrac{23}{30}, \cdots, \dfrac{100}{30}$ 중에서 유한소수로 나타낼 수 있는 것은 모두 몇 개인지 구하시오.
(단, 정수는 제외한다.)

12

x에 대한 일차방정식 $165x - k = 10$의 해를 소수로 나타내면 유한소수가 된다고 한다. 이때 두 자리의 자연수 k의 값을 모두 구하시오.

13

두 분수 $\dfrac{2}{5}$와 $\dfrac{6}{7}$ 사이의 분수 중에서 분모가 35이고 유한소수로 나타낼 수 없는 것은 모두 몇 개인지 구하시오.

순환소수를 분수로 나타내기

14

어떤 순환소수 A를 기약분수로 나타내면 분모가 495일 때, 다음 중 A에 대한 설명으로 옳지 <u>않은</u> 것은?

① A의 순환마디의 숫자의 개수는 2개이다.

② A의 순환마디는 소수점 아래 두 번째 자리부터 시작된다.

③ A의 소수점 아래 숫자 중 순환하지 않는 숫자의 개수는 1개이다.

④ A를 분수로 나타내는 데 필요한 식은 $1000A - 10A$이다.

⑤ A를 기약분수로 나타냈을 때, 분자가 13이면 $A = 0.0\dot{1}\dot{3}$이다.

15

두 자연수 a, b에 대하여 $0.34\dot{a}$를 분수로 나타내면 $\dfrac{b}{330}$ 가 된다. 다음 보기 중 $b-a$의 값이 될 수 있는 것을 모두 고르시오. (단, a는 한 자리의 자연수)

┤ 보기 ├

㉠ 97	㉡ 99	㉢ 107
㉣ 109	㉤ 110	㉥ 111

순환소수를 포함한 식

16

$\dfrac{1}{3} \le 0.\dot{x} < \dfrac{5}{7}$ 를 만족하는 한 자리의 자연수 x의 값 중에서 가장 큰 값을 a, 가장 작은 값을 b라 할 때, $a-b$의 값을 구하시오.

17

한 자리의 자연수 x, y에 대하여 $0.\dot{x}\dot{y} + 0.\dot{y}\dot{x} = 0.\dot{5}$일 때, $0.\dot{y}\dot{x} - 0.\dot{x}\dot{y}$의 값이 될 수 있는 순환소수를 모두 구하시오. (단, $y > x$)

18

서로 다른 한 자리의 자연수 a, b, c, d에 대하여 $< a, b, c, d > = 0.\dot{a} + 0.0\dot{b} + 0.00\dot{c} + 0.000\dot{d}$로 나타내기로 하자. 이때 $< 2, 3, 5, 7 > = 2357 \times A$를 만족하는 순환소수 A의 값을 구하시오.

19

$x = 0.\dot{a}$일 때, $1 - \dfrac{2}{1 + \dfrac{1}{x}} = 0.\dot{6}\dot{3}$이다. 이때 한 자리의 자연수 a의 값을 구하시오.

20

$<x>$를 x의 역수라 약속하자.

$a=1+\dfrac{3}{10}+\dfrac{2}{10^2}+\dfrac{7}{10^3}+\dfrac{2}{10^4}+\dfrac{7}{10^5}+\dfrac{2}{10^6}+\cdots,$

$b=\dfrac{2}{10}+\dfrac{2}{10^2}+\dfrac{8}{10^3}+\dfrac{2}{10^4}+\dfrac{8}{10^5}+\dfrac{2}{10^6}+\cdots$ 일 때,

$<a+b>$의 값을 구하시오.

21

$a<b<c$이고 $2\leq a\leq 4$, $3\leq c\leq 9$인 세 자연수 a, b, c에 대하여 $(0.0\dot{b})^2=0.\dot{a}\times 0.00\dot{c}$가 성립할 때, $a+b+c$의 값을 모두 구하시오.

22

두 유리수 x, y에 대하여 ◎를 다음과 같이 약속하자.

$$x\,◎\,y=\begin{cases} x-y \ (x\geq y) \\ y-x \ (x<y) \end{cases}$$

이때 $(1.9\dot{8}\,◎\,1.99)\,◎\,0.001$의 값을 순환소수로 나타내시오.

23

기약분수 $\dfrac{b}{a\times 1111}$ 를 순환소수로 나타낸 값이 c이다.

$(c\times 9999.\dot{9}-c)$가 자연수일 때, 그 최댓값을 구하시오.

(단, a, b는 1보다 크고 10보다 작은 자연수)

1

분수 $\dfrac{A}{720}$ 를 소수로 나타내면 유한소수가 될 때, A의 값이 될 수 있는 가장 작은 자연수를 x라 하자. 또 이 분수를 소수로 나타내면 소수점 아래 두 번째 자리부터 순환마디가 시작되는 순환소수가 될 때, A의 값이 될 수 있는 가장 작은 자연수를 y라 하자. 이때 $\dfrac{y}{x}$의 값을 순환소수로 나타내시오.

풀이

2 서술형

자연수 n에 대하여 $3+3^2+3^3+\cdots+3^n$의 일의 자리의 숫자를 a_n이라 할 때, $0.a_1a_2a_3\cdots a_n\cdots$의 소수점 아래 1234번째 자리의 숫자를 구하시오.

풀이

3 창의력

좌표평면 위의 한 점 P가 점 $(1, 2)$에서 출발하여 오른쪽으로 $a_1=6$만큼, 위로 $b_1=4$만큼, 오른쪽으로 $a_2=\dfrac{1}{10}a_1$만큼, 위로 $b_2=\dfrac{1}{10}b_1$만큼, 다시 오른쪽으로 $a_3=\dfrac{1}{10}a_2$만큼, 위로 $b_3=\dfrac{1}{10}b_2$만큼, $\cdots$과 같은 방법으로 끝없이 움직인다고 한다. 이때 점 P가 가까워지는 점의 좌표를 구하시오.

풀이

4

다음 조건을 모두 만족하는 순환소수 A를 기약분수로 나타낼 때, 이 기약분수의 분모가 될 수 있는 수는 모두 몇 개인지 구하시오.

┤ 조건 ├
(가) A는 1보다 작은 양수이다.
(나) A의 순환마디는 소수점 아래 첫 번째 자리부터 시작된다.
(다) A의 순환마디의 숫자의 개수는 3개이다.

(풀이)

5

서로 다른 한 자리의 자연수 a, b, c, d에 대하여 두 순환소수 $2.\dot{a}bc\dot{d}$ 와 $1.\dot{c}da\dot{b}$의 합이 자연수이다. 이때 $a+b+c+d$의 값을 구하시오.

(풀이)

II

식의 계산

01 단항식과 다항식의 계산

❶ 지수법칙

(1) m, n이 자연수일 때

   ① $a^m \times a^n = a^{m+n}$　　　　② $(a^m)^n = a^{mn}$

(2) $a \neq 0$이고 m, n이 자연수일 때

   ① $m > n$이면 $a^m \div a^n = a^{m-n}$

   ② $m = n$이면 $a^m \div a^n = 1$

   ③ $m < n$이면 $a^m \div a^n = \dfrac{1}{a^{n-m}}$

(3) m이 자연수일 때

   ① $(ab)^m = a^m b^m$　　　　② $\left(\dfrac{a}{b}\right)^m = \dfrac{a^m}{b^m}$ (단, $b \neq 0$)

개념➕

• 음수의 거듭제곱: $a > 0$일 때, $(-a)^m = \begin{cases} a^m \ (m\text{이 짝수}) \\ -a^m \ (m\text{이 홀수}) \end{cases}$

• l, m, n이 자연수일 때

   ① $a^l \times a^m \times a^n = a^{l+m+n}$　　② $\{(a^l)^m\}^n = a^{lmn}$

   ③ $(a^m b^n)^l = a^{ml} b^{nl}$　　　　④ $\left(\dfrac{a^m}{b^n}\right)^l = \dfrac{a^{ml}}{b^{nl}}$ (단, $b \neq 0$)

• $\underbrace{a^m + a^m + a^m + \cdots + a^m}_{a\text{개}} = a \times a^m = a^{m+1}$

• $a^m = A$이면

   ① $a^{mn} = (a^m)^n = A^n$　　② $a^{m+n} = a^m \times a^n = Aa^n$

❷ 단항식의 곱셈과 나눗셈

    → 하나의 항으로만 이루어진 식

(1) 단항식의 곱셈

   계수는 계수끼리, 문자는 문자끼리 곱한다.

(2) 단항식의 나눗셈

   나눗셈은 분수의 꼴로 바꾸어 계산하거나 나누는 식을 역수의 곱셈으로 바꾸어 계산한다.

(3) 단항식의 곱셈과 나눗셈의 혼합 계산

   ① 괄호가 있으면 지수법칙을 이용하여 괄호를 푼다.

   ② 나눗셈은 분수의 꼴로 바꾸거나 나누는 식의 역수의 곱셈으로 바꾼다.

   ③ 계수는 계수끼리, 문자는 문자끼리 계산한다.

개념➕

나눗셈이 2개 이상인 경우

① $A \div B \div C = A \times \dfrac{1}{B} \times \dfrac{1}{C} = \dfrac{A}{BC}$

② $A \div (B \div C) = A \div \dfrac{B}{C} = A \times \dfrac{C}{B} = \dfrac{AC}{B}$

[확인 ❶]

다음 중 옳은 것을 모두 고르면?

① $a^3 \times a^2 = a^5$

② $(3a^2 b^3)^2 = 6a^4 b^6$

③ $(x^4)^2 \div x^8 = 0$

④ $\left(\dfrac{x}{y^4}\right)^2 = \dfrac{x^2}{y^8}$

⑤ $x \times (x^2)^3 \div (x^3)^5 = \dfrac{1}{x^2}$

$a^m \div a^n$을 계산할 때에는 먼저 m, n의 대소를 비교해 봐.

[확인 ❷]

다음 식을 간단히 하시오.

(1) $(-2a^3 b^2)^2 \times (a^2 b^3)^3 \times (a^2 b)^5$

(2) $\left(-\dfrac{1}{2} a^2 b\right)^3 \div \dfrac{3}{4} a^3 b^2$

(3) $(3xy^2 z)^3 \div \{(xyz^2)^2\}^3 \div (xyz^2)^2$

❸ 다항식의 덧셈과 뺄셈

(1) 다항식의 덧셈과 뺄셈

괄호를 풀고 동류항끼리 모아서 간단히 한다. 이때 빼는 식은 각 항의 부호를 바꾸어 더한다.

(2) 이차식의 덧셈과 뺄셈

① 이차식: 다항식에서 차수가 가장 큰 항의 차수가 2인 다항식

② 이차식의 덧셈과 뺄셈은 괄호를 풀고 동류항끼리 모아서 간단히 한다.

(3) 여러 가지 괄호가 있는 식의 계산

(소괄호) ➡ {중괄호} ➡ [대괄호]의 순서로 괄호를 풀어 계산한다.

❹ 단항식과 다항식의 곱셈과 나눗셈

(1) 단항식과 다항식의 곱셈

분배법칙을 이용하여 단항식을 다항식의 각 항에 곱하여 계산한다.

① 전개: 단항식과 다항식의 곱을 분배법칙을 이용하여 하나의 다항식으로 나타내는 것

② 전개식: 전개하여 얻은 다항식

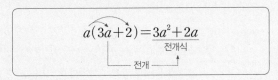

$$a(3a+2)=3a^2+2a$$
전개식
전개

(2) 다항식과 단항식의 나눗셈

① 분수의 꼴로 바꾼 후 다항식의 각 항을 단항식으로 나누어 계산한다.

➡ $(A+B) \div C = \dfrac{A+B}{C} = \dfrac{A}{C} + \dfrac{B}{C}$

② 나누는 단항식을 역수의 곱셈으로 바꾼 후 분배법칙을 이용하여 계산한다.

➡ $(A+B) \div C = (A+B) \times \dfrac{1}{C} = \dfrac{A}{C} + \dfrac{B}{C}$

(3) 다항식의 혼합 계산

① 거듭제곱이 있으면 지수법칙을 이용하여 거듭제곱을 먼저 계산한다.

② 괄호가 있으면 (소괄호) ➡ {중괄호} ➡ [대괄호]의 순서로 괄호를 푼다.

③ 곱셈, 나눗셈을 계산한다.

④ 동류항끼리 덧셈, 뺄셈을 계산한다.

❺ 식의 대입

주어진 식의 문자에 그 문자를 나타내는 다른 식을 대입하는 것

개념⁺

어떤 식의 문자에 식을 대입하는 방법

① 식이 복잡할 때에는 주어진 식을 먼저 간단히 한다.

② 간단히 한 식에 문자 대신 식을 대입한다. 문자에 식을 대입할 때에는 대입하는 식을 괄호로 묶어 대입한다.

[**확인 ❸**]

다음 식을 간단히 하시오.

$7x - [6x - 4y + \{-x + 3y - (2x - y)\}]$

[**확인 ❹**]

다음 식을 간단히 하시오.

$\{3x + (x - 2y)\} \times 3y$

$- (6x^3y - 9x^2y^2) \div \dfrac{3}{2}x^2$

나누는 단항식이 분수 꼴일 때에는 역수의 곱셈으로 바꾸어 계산해.

[**확인 ❺**]

$a = 2x + y, \ b = x - 3y$일 때,

$a - \{b - 3(a + b)\} + 2b$를 x, y의 식으로 나타내시오.

여러 가지 단항식의 계산

다음 물음에 답하시오.

1-1 다음 중 □ 안에 들어갈 수가 가장 작은 것은?

① $(x^\square y^5)^5 = x^{10}y^{25}$

② $-2 \times \left(\dfrac{1}{2}x^\square\right)^2 = -\dfrac{1}{2}x^6$

③ $\left(\dfrac{3}{2}x^3y^\square\right)^2 = \dfrac{9}{4}x^6y^8$

④ $3x \times \left(\dfrac{x^\square y^5}{3}\right)^3 = \dfrac{x^{10}y^{15}}{9}$

⑤ $(-3x^\square y^2)^4 = 81x^{28}y^8$

1-2 다음 중 □ 안에 들어갈 수가 가장 큰 것은?

① $(a^2 b^\square)^3 = a^6 b^{18}$

② $(a^3)^4 \div a^\square = a^8$

③ $\left(-\dfrac{b^2}{a^3}\right)^3 = -\dfrac{b^6}{a^\square}$

④ $a^5 \times a^4 \div (a^\square)^2 = a$

⑤ $a^\square \div (a^2)^2 \div a = a^3$

2-1 $(4x^2y^3)^2 \div (2xy)^2 \times 9xy^2 = ax^b y^c$ 일 때, $a+b-c$ 의 값을 구하시오. (단, a, b, c 는 자연수)

2-2 $ax^3y^5 \div (-2xy^b)^4 \times 8x^c y^3 = -2xy^4$ 일 때, $a+b+c$ 의 값을 구하시오. (단, a, b, c 는 상수)

3-1 다음 □ 안에 알맞은 식을 구하시오.

$$(-3x^2y)^2 \div \boxed{} \times (x^2z)^2 = (x^2yz^2)^3$$

3-2 다음 □ 안에 알맞은 식을 구하시오.

$$(-2x^2y^3)^2 \div \boxed{} \times \dfrac{1}{6x^2y^2} = \dfrac{4y^3}{3x}$$

상위권의 눈

▶ 단항식의 곱셈과 나눗셈에서 미지수 구하기: $Ax^m y^n = Bx^a y^b$ 이면 $A=B, m=a, n=b$ 이다.

▶ □ 안에 알맞은 식 구하기

① $A \times \square \div B = C \Rightarrow A \times \square \times \dfrac{1}{B} = C \Rightarrow \square = \dfrac{BC}{A}$

② $A \div \square \times B = C \Rightarrow A \times \dfrac{1}{\square} \times B = C \Rightarrow \square = \dfrac{AB}{C}$

정답과 풀이 09쪽

[음수의 거듭제곱]

다음 물음에 답하시오.

4-1 n이 홀수일 때, 다음 식의 값을 구하시오.

$$(-1)^n - (-1)^{n+1} + (-1)^n \times (-1)^{n+1}$$

4-2 n이 짝수일 때, 다음 식의 값을 구하시오.

$$(-1)^n - (-1)^{n+1} + (-1)^n \times (-1)^{n+1}$$

5-1 n이 자연수일 때, 다음 식의 값을 구하시오.

$$(-1)^{2n+1} + (-1)^{4n}$$

5-2 n이 자연수일 때, 다음 식을 간단히 하시오.

$$(-1)^{2n-1}(3x-y) + (-1)^{2n+2}(x+4y) \\ -(-1)^{4n+1}(2x+y)$$

6-1 n이 자연수일 때, 다음 식의 값을 구하시오.

$$2^n + (-2)^{n+1} - 2^{n+1} + (-2)^n$$

6-2 n이 자연수일 때, 다음 식의 값을 구하시오.

$$(-1)^{n+1} + (-1)^{3n-1} - (-1)^{2n}$$

상위권의 눈

▶ 음수의 거듭제곱: $a>0$일 때, $(-a)^m = \begin{cases} a^m \ (m\text{이 짝수}) \\ -a^m \ (m\text{이 홀수}) \end{cases}$

▶ 문제에 '자연수 n에 대하여' 또는 'n이 자연수일 때'라는 문장이 있으면 n이 홀수인 경우와 짝수인 경우로 각각 나누어 생각한다.

문자를 사용하여 거듭제곱 나타내기

다음 물음에 답하시오.

7-1 $3^5=A$일 때, 다음 식을 A를 사용하여 나타내면?

$$(3^2)^7 \div 81^3 \div \left(\frac{27}{3^6}\right)^8 \times 243^2$$

① A^7 ② $2A^7$ ③ $3A^7$

④ A^8 ⑤ $2A^8$

7-2 $2^{200}=a$라 할 때, $\dfrac{2^{201}+16^{100}}{4^{100}}$을 a를 사용하여 나타내면?

① $a-4$ ② $a-2$ ③ a

④ $a+2$ ⑤ $a+4$

8-1 $2^{50}=A$일 때, $2^{51}-2^{49}$을 A를 사용하여 나타내면?

① A ② $\dfrac{3}{2}A$ ③ $2A$

④ $\dfrac{5}{2}A$ ⑤ $4A$

8-2 $3^{80}=A$일 때, $2\times 3^{81}+6\times 3^{79}$을 A를 사용하여 나타내면?

① $4A$ ② $5A$ ③ $6A$

④ $7A$ ⑤ $8A$

9-1 $10^x=a$, $15^x=b$라 할 때, $5^{x+2}(2^{x+1}+3^x)$을 a, b를 사용하여 나타내면? (단, x는 자연수)

① $25a+25b$ ② $25a+50b$

③ $50a+25b$ ④ $50a+50b$

⑤ $125a+25b$

9-2 $2^x=a$, $5^{x-2}=b$라 할 때, 80^x을 a, b를 사용하여 나타내면? (단, x는 3 이상의 자연수)

① a^4b ② $2a^4b$ ③ $5a^4b$

④ $10a^4b$ ⑤ $25a^4b$

상위권의 눈

▶ 거듭제곱의 합은 곱셈식으로 바꾸어 간단히 한다.

➡ $\underbrace{a^m+a^m+a^m+\cdots+a^m}_{a\text{개}}=a^m\times a=a^{m+1}$

▶ $a^m=A$이면

① $a^{mn}=(a^m)^n=A^n$ ② $a^{m+n}=a^m\times a^n=Aa^n$

지수법칙

01

$108^2 = 2^{2x} \times 3^y$일 때, $3x + y$의 값을 구하시오.

(단, x, y는 자연수)

02

$(7^4)^3 \times 7^5 \div (7^2)^3$의 일의 자리의 숫자를 구하시오.

03

$(x^a y^b z^c)^d = x^{16} y^{48} z^{36}$을 만족하는 가장 큰 자연수 d에 대하여 $a + b + c + d$의 값을 구하시오.

(단, a, b, c는 자연수)

04

다음 수의 대소 관계를 부등호를 사용하여 나타내시오.

$$2^{77}, \quad 3^{66}, \quad 4^{44}, \quad 5^{33}, \quad 6^{22}$$

05

$\dfrac{2^9 \times 15^5 \times 12^3}{6^7 \times 10^x}$이 가장 작은 자연수가 되도록 하는 자연수 x의 값과 그때의 자연수를 각각 구하시오.

지수법칙의 활용

06

$6^{x+1}+6^x+6^{x-1}-2^8+2$를 만족하는 x의 값을 구하시오. (단, x는 2 이상의 자연수)

07

$3^{x+2}(2^{x+3}+2^{x+4})=a^{x+b}$일 때, $a+b$의 값을 구하시오. (단, a, b, x는 자연수)

08

세 자연수 a, b, x에 대하여 $x=a^b$을 $\langle x \rangle a=b$와 같이 나타낼 때, 다음 물음에 답하시오.

(1) $\langle x \rangle 2=6(m-2)$, $\langle y \rangle 4=3m-6$일 때, $\dfrac{x}{y}$의 값을 구하시오. (단, m은 3 이상의 자연수)

(2) $\langle x \rangle (2k^2)=4$, $\langle y \rangle (2k)=2$, $\left\langle \dfrac{z}{2} \right\rangle \dfrac{k^2}{2}=3$일 때, $\left\langle \dfrac{xz}{y} \right\rangle k=A$이다. 이때 자연수 A의 값을 구하시오.

자릿수 구하기

09

$(2^6+2^6+2^5+2^5)(5^4+5^4+5^4+5^4+5^4)$이 n자리의 자연수일 때, n의 값을 구하시오.

10

$\dfrac{2^{15} \times 15^{20}}{45^{10}}$은 a자리의 자연수이고 최고 자리의 숫자는 b일 때, ab의 값을 구하시오.

11

$5 \times \left(\dfrac{2^9+2^{18}+2^{27}}{1+2^9+2^{18}} \right)^{100}$의 십의 자리의 숫자를 구하시오.

단항식의 곱셈과 나눗셈

12

$x=2, y=-1$일 때, 다음 식의 값을 구하시오.

$$\frac{1}{4}xy^2 \times \left(\frac{2}{3}x^2y^2\right)^2 \div \left(-\frac{1}{3}xy\right)^3$$

13

다음 ☐ 안에 알맞은 식을 구하시오.

$$\frac{27}{8} \times \boxed{} \div \left\{\left(-\frac{1}{2}xy\right)^3 \times (-3xy^2)^2\right\} = -\frac{3}{x^2y^4}$$

14

$x-y=\frac{1}{2}$, $a=5^{2x}$, $b=5^{2y}$을 만족하는 a, b에 대하여 다음 식의 값을 구하시오. (단, $a>b$이고 x는 자연수)

$$(3ab^3)^3 \div (ab^5)^2 \times \left(\frac{a}{3b}\right)^2$$

15

$T(x)=x^3$, $S(x)=x^2$으로 나타낼 때, 다음 식을 간단히 하시오.

$$S(6 \times a \times T(b)) \times T(-2 \times T(a) \times b) \div T(3ab)$$

16

세 자연수 a, b, c에 대하여

$$\left(-\frac{x^2}{y}\right)^a \times \left(\frac{y^2}{x^b}\right)^3 \div \left(-\frac{x^4}{3y}\right)^2 = -\frac{9y^{c+1}}{x^7}$$일 때,

$a+b+c$의 값을 구하시오. (단, $3<a<7$)

17

밑면인 원의 반지름의 길이가 $2a$, 높이가 $4b$인 원기둥 모양의 그릇과 반지름의 길이가 $\frac{3}{2}a$인 구 모양의 쇠공이 있다. 오른쪽 그림과 같이 원기둥 모양의 그릇 안에 쇠공이 잠길 만큼 충분히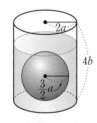
많은 양의 물을 넣은 후 그릇 안에 쇠공을 넣었다. 이때 높아진 물의 높이를 구하시오. (단, 쇠공을 넣었을 때 물은 넘치지 않았고, 그릇의 두께는 생각하지 않는다.)

18

오른쪽 그림과 같이 가로, 세로의 길이가 각각 x^3y^5, x^4y인 직사각형 모양의 종이를 가로, 세로로 겹치지 않게 빈틈없이 이어 붙여 가장 작은 정사각형 모양을 만들 때, 필요한 직사각형 모양의 종이는 모두 몇 장인지 구하시오.

(단, x, y는 서로소)

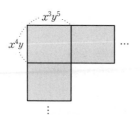

이차식의 덧셈과 뺄셈

19

$A=-x^2+x$, $B=3x^2+3x+1$, $C=x^2+2x+1$일 때, $2A-2\{B-(A+3C)\}$를 간단히 하시오.

20

다음 표의 가로 방향의 규칙은 왼쪽의 이웃한 두 칸의 식을 더하는 것이고, 세로 방향의 규칙은 위 칸에서 아래 칸의 식을 빼는 것이다. (1)~(4)에 알맞은 식을 각각 구하시오.

$6x^2-2x+6$	$-3x^2+x-1$	$3x^2-x+5$
$2x^2-2x+4$	$-2x^2+3x$	(1)
(2)	(3)	(4)

다항식과 단항식의 곱셈과 나눗셈

21

오른쪽 그림과 같은 사다리꼴의 넓이가
$Ax^2+Bxy+Cy^2+Dx+Ey$
일 때, $A+B+C+D+E$의 값을 구하시오. (단, A, B, C, D, E는 상수)

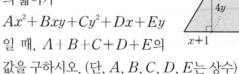
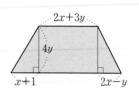

22

$x : y : z=2 : 3 : 5$이고 $3x+5y+z=52$일 때, 다음 식의 값을 구하시오.

$$(4x^2y-8xy+2y^2)\div(-2xy)+(x^2z+xz)\div\frac{1}{3}xz^2$$

23

네 식 a, b, c, d에 대하여 $\begin{vmatrix} a & b \\ c & d \end{vmatrix}=ad-bc$로 약속할 때, $\begin{vmatrix} 9x^2y-24xy & -\dfrac{1}{4y} \\ 4xy+16xy^2 & -\dfrac{1}{3x} \end{vmatrix}$을 간단히 하시오.

식의 대입

24

$x=a+b$, $y=a-b$일 때, $3ax+2by$를 a, b의 식으로 나타내시오.

25

$\dfrac{4^{2x}\times 2^{y}}{2^{x}}=256$일 때, $3x-2y+1$을 y의 식으로 나타내시오. (단, x, y는 자연수)

26

$a\,\%$의 소금물 $50\,\mathrm{g}$에 소금 $b\,\mathrm{g}$을 더 넣었더니 농도가 $c\,\%$가 되었다. 이때 b를 a, c의 식으로 나타내시오.

27

$\dfrac{x+y}{2x-y}=3$일 때, 다음 식의 값을 구하시오.

$$\frac{x}{x+y}-\frac{y}{x-y}$$

28

$\dfrac{1}{a}:\dfrac{1}{b}=2:3$일 때, 다음 식의 값을 구하시오.

$$\frac{a}{a+b}-\frac{b}{a-b}$$

29

$a:b=1:2$이고 $b:c=3:2$일 때, $\dfrac{4a-2b-c}{5a-3b}$의 값을 구하시오.

1 [서술형]

두 자연수 m, n에 대하여 다음을 만족하는 순서쌍 (m, n)의 개수를 구하시오. (단, $m > 4$)

$$(-1)^n \times (-3)^{m-4} \times (-3)^{n+2} = (-9)^3 \times (-27)$$

풀이

2

두 유리수 a, b에 대하여 $ab = -1$이고 n이 홀수일 때, 다음 식의 값을 구하시오.

$$a^n + \frac{1}{a^n} + b^n + \frac{1}{b^n} + a^n b^n + \frac{1}{a^n b^n}$$

풀이

3

다음 조건을 만족하는 두 자연수 a, b에 대하여 b의 일의 자리의 숫자를 구하시오.

┤ 조건 ├
(가) $(ab)^{1319}$의 일의 자리의 숫자는 3이다.
(나) a^{1319}의 일의 자리의 숫자는 7이다.

풀이

4 융합형

두께가 0.5 mm인 종이 A와 두께가 0.2 mm인 종이 B가 있다. 종이 A는 반으로 접고, 종이 B는 삼등분하여 접는 과정을 반복할 때, 다음 중 옳은 것은? (단, 접힌 종이 사이의 공간은 생각하지 않는다.)

① 종이 A를 n번 접었을 때, 종이 A의 두께는 $0.5 \times 2^{n-1}$ mm이다.
② 종이 B를 n번 접었을 때, 종이 B의 두께는 $0.2 \times 3^{n-1}$ mm이다.
③ 종이 A를 6번 접었을 때, 종이 A의 두께는 64 mm이다.
④ 종이 B를 7번 접었을 때, 종이 B의 두께는 0.2×3^6 mm이다.
⑤ 두 종이 A, B를 각각 3번 접었을 때부터 종이 B의 두께가 종이 A의 두께보다 두꺼워진다.

풀이

5 융합형

밤하늘에 보이는 별을 우리의 눈으로 관찰한 결과를 바탕으로 결정한 별의 밝기를 '겉보기 등급(실시 등급)'이라 한다. 그리스의 천문학자 히파르코스는 가장 밝게 보이는 별을 1등성, 가장 어둡게 보이는 별을 6등성으로 하여 1등성부터 6등성까지 나누었다. 1등성인 별의 밝기를 1이라 하고 각 등급 사이에는 2.5배의 밝기 차이가 난다고 할 때, 다음 물음에 답하시오.

(1) 6등성인 별의 밝기를 $\left(\dfrac{a}{b}\right)^x$의 꼴로 나타내시오.
$$\text{(단, } a, b \text{는 서로소이고, } x \text{는 자연수)}$$

(2) 2등성인 별의 밝기는 5등성인 별의 밝기의 $\dfrac{n}{m}$배일 때, $m+n$의 값을 구하시오. (단, m, n은 서로소)

풀이

6 창의+융합

단면의 반지름의 길이가 R이고 길이가 l인 원기둥 모양의 혈관이 있다. 단면의 중심에서 혈관의 벽면 방향으로 r만큼 떨어진 지점에서의 혈액의 속력을 v라 하면 다음 식이 성립한다고 한다.

$$v = \frac{P}{4\eta l}(R^2 - r^2)$$

R, l, P, η가 모두 일정할 때, 단면의 중심에서 혈관의 벽면 방향으로 $\dfrac{R}{3}$, $\dfrac{R}{2}$만큼씩 떨어진 두 지점에서의 혈액의 속력을 각각 v_1, v_2라 하자. 이때 $\dfrac{v_1}{v_2}$의 값을 구하시오. (단, P는 혈관 양 끝의 압력차, η는 혈액의 점도이고 속력의 단위는 cm/초, 길이의 단위는 cm이다.)

풀이

7

두 다항식 $A = 2x - 0.\dot{1} \times y$, $B = 0.\dot{6} \times x + 0.0\dot{2} \times y$에 대하여 $A \odot B = 2A - 3B$, $A \bigstar B = A + 4B$라 하자.
$(A \odot B) \odot (A \bigstar B) = ax + by$일 때, ab의 값을 구하시오.

(단, a, b는 상수)

풀이

8 융합형

원가가 p원인 물건에 $a \%$의 이익을 붙여 정가를 정했는데 팔리지 않아 정가의 $b \%$를 할인하여 q원에 팔았다. 이때 b를 p, a, q의 식으로 나타내시오.

풀이

III

일차부등식

01 일차부등식과 그 활용

❶ 부등식과 그 해

(1) **부등식**   부등호 >, <, ≥, ≤를 사용하여 수 또는 식의 대소 관계를 나타낸 식

(2) **부등식의 해**   부등식을 참이 되게 하는 미지수의 값

(3) **부등식을 푼다**   부등식의 모든 해를 구하는 것

개념＋

① 미지수가 x의 1개인 일차부등식은 문제에 주어진 조건을 만족하는 x의 값 또는 x의 값의 범위를 해로 갖는다.

② 미지수가 x, y의 2개이고 식이 하나인 일차부등식은 문제에 주어진 자연수 조건, 정수 조건 등을 만족하는 x, y의 순서쌍 (x, y)를 해로 갖는다.

[확인 ❶]

다음 중 [ ] 안의 수가 주어진 부등식의 해가 아닌 것을 모두 고르면? (정답 2개)

① $0.4x + 1.5 < 0$ [−2]

② $\dfrac{1}{2}x + 10 \geq 7$ [−1]

③ $-3 - 6x \geq 0$ [0]

④ $-x + 8 < 12$ [1]

⑤ $5x + 9 > x$ [2]

[ ] 안의 수를 주어진 부등식의 x에 대입해 봐.

❷ 부등식의 성질

(1) 부등식의 양변에 같은 수를 더하거나 양변에서 같은 수를 빼어도 부등호의 방향은 바뀌지 않는다.

➡ $a < b$이면 $a + c < b + c$, $a - c < b - c$

(2) 부등식의 양변에 같은 양수를 곱하거나 양변을 같은 양수로 나누어도 부등호의 방향은 바뀌지 않는다.

➡ $a < b$, $c > 0$이면 $ac < bc$, $\dfrac{a}{c} < \dfrac{b}{c}$

(3) 부등식의 양변에 같은 음수를 곱하거나 양변을 같은 음수로 나누면 부등호의 방향은 바뀐다.

➡ $a < b$, $c < 0$이면 $ac > bc$, $\dfrac{a}{c} > \dfrac{b}{c}$

개념＋

• $a \leq x \leq b$, $c \leq y \leq d$일 때

① $a + c \leq x + y \leq b + d$

② $a - d \leq x - y \leq b - c$

• ① $a > b > 0$일 때, $\dfrac{1}{a} < \dfrac{1}{b}$

② $a > 1$일 때, $0 < \dfrac{1}{a} < 1$

[확인 ❷]

$-\dfrac{a}{2} + 3 > -\dfrac{b}{2} + 3$일 때, 다음 중 옳은 것은?

① $a - 5 > b - 5$

② $3a + c > 3b + c$

③ $\dfrac{8a - 1}{2} > \dfrac{8b - 1}{2}$

④ $\dfrac{5}{2} - a > \dfrac{5}{2} - b$

⑤ $\dfrac{1}{3} - 2a < \dfrac{1}{3} - 2b$

❸ 일차부등식의 풀이

(1) **일차부등식** 부등식의 모든 항을 좌변으로 이항하여 정리한 식이 다음 중 어느 하나의 꼴로 나타나는 부등식

$$(\text{일차식}) > 0, \ (\text{일차식}) < 0, \ (\text{일차식}) \geq 0, \ (\text{일차식}) \leq 0$$

(2) **일차부등식의 풀이**

① 미지수 x를 포함하는 항은 좌변으로, 상수항은 우변으로 이항한다.

② 양변을 정리하여 $ax > b, \ ax < b, \ ax \geq b, \ ax \leq b \ (a \neq 0)$ 중 어느 하나의 꼴로 만든다.

③ 양변을 x의 계수 a로 나눈다. 이때 a가 음수이면 부등호의 방향이 바뀐다.

개념⁺

부등식 $ax > b$에서 $a=0$일 때

① $b \geq 0$이면 해는 없다.

② $b < 0$이면 해는 모든 수이다.

[확인 ❸]

다음 일차부등식을 만족하는 x의 값 중 가장 작은 정수를 구하시오.

(1) $0.2(x-5) < 1 + 0.6x$

(2) $3 - \dfrac{x-2}{4} - \dfrac{2x-1}{2} < 0$

> 괄호가 있으면 괄호를 풀고, 계수가 소수 또는 분수이면 양변에 적당한 수를 곱하여 계수를 정수로 바꾸자!

❹ 일차부등식의 활용

(1) **거리, 속력, 시간에 대한 문제**

$$(\text{거리}) = (\text{속력}) \times (\text{시간}), \ (\text{속력}) = \frac{(\text{거리})}{(\text{시간})}, \ (\text{시간}) = \frac{(\text{거리})}{(\text{속력})}$$

(2) **농도에 대한 문제**

$$(\text{소금물의 농도}) = \frac{(\text{소금의 양})}{(\text{소금물의 양})} \times 100 \ (\%)$$

$$(\text{소금의 양}) = \frac{(\text{소금물의 농도})}{100} \times (\text{소금물의 양})$$

참고 소금물에 물을 더 넣거나 소금물을 증발시켜도 소금의 양은 변하지 않는다.

(3) **유리한 방법을 선택하는 문제**

① 교통비를 들여 도매점을 이용하는 것이 동네 상점을 이용하는 것보다 유리할 때

➡ (동네 상점 이용 금액) > (도매점 이용 금액) + (왕복 교통비)

② x명이 입장하는데 a명의 단체 입장료를 지불하는 것이 유리할 때

➡ (x명의 입장료) > (a명의 단체 입장료) (단, $x < a$)

(4) **원가, 정가에 대한 문제**

① 원가가 x원인 물건에 $a\%$의 이익을 붙인 가격

➡ $x + x \times \dfrac{a}{100} = x\left(1 + \dfrac{a}{100}\right)$(원)

② 정가가 y원인 물건을 $b\%$ 할인한 가격

➡ $y - y \times \dfrac{b}{100} = y\left(1 - \dfrac{b}{100}\right)$(원)

[확인 ❹]

민희는 등산을 하는데 올라갈 때는 시속 2 km로, 내려올 때는 같은 길을 시속 3 km로 걸어서 5시간 이내로 돌아오려고 한다. 이때 올라갈 수 있는 거리는 최대 몇 km인지 구하시오.

> ## 여러 가지 부등식의 성질
> 다음 중 옳은 것에는 ○표, 옳지 않은 것에는 ×표를 (　) 안에 써넣고,
> 옳지 않은 것은 그 이유를 설명하시오.

1 (1) $a > b$이면 $ac > bc$　　　　　　　　　　(　)

$c>0$, $c=0$, $c<0$인 경우로 나누어 생각해 보자.

(2) $a > b$이면 $\dfrac{1}{a} < \dfrac{1}{b}$ (단, $ab \neq 0$)　　　(　)

구체적인 수를 대입하여 확인할 수 있다. 예를 들어 $a=3$, $b=-2$인 경우를 생각해 보자.

(3) $a > b$이면 $a^2 > b^2$　　　　　　　　　　(　)

$a=2$, $b=-3$인 경우를 생각해 보자.

(4) $a > b$이면 $|a| > |b|$　　　　　　　　　　(　)

(5) $a > 0$이면 $a^2 > a$　　　　　　　　　　(　)

$0<a<1$, $a=1$, $a>1$인 경우로 나누어 생각해 보자.

(6) $c \neq 0$일 때, $a > b$이면 $ac^2 > bc^2$　　　(　)

(7) $a < 0 < b$이면 $a^2 > ab$　　　　　　　　(　)

(8) $a < 0 < b$이면 $\dfrac{1}{a} < \dfrac{1}{b}$　　　　　　(　)

[
일차부등식의 풀이
다음 물음에 답하시오.
]

2-1 $a < 0$일 때, x에 대한 일차부등식 $ax - 5 \leq 2$를 푸시오.

2-2 $a > 0$일 때, x에 대한 일차부등식 $-ax < 3a$를 푸시오.

3-1 일차부등식 $6 + ax \geq -4$의 해 중 가장 작은 수가 -5일 때, 상수 a의 값을 구하시오.

3-2 일차부등식 $4 - ax \geq -8$을 만족하는 x의 값 중 가장 큰 값이 4일 때, 상수 a의 값을 구하시오.

4-1 일차부등식 $2x + a < -x$를 만족하는 자연수 x의 개수가 3개일 때, 상수 a의 값의 범위를 구하시오.

4-2 일차부등식 $2x + a \leq -x$를 만족하는 자연수 x의 개수가 3개일 때, 상수 a의 값의 범위를 구하시오.

상위권의 눈

▶ 부등식의 해를 구할 때에는 수직선을 정확히 그려야 실수를 줄일 수 있다.

$x > a$	$x < a$	$x \geq a$	$x \leq a$

▶ 부등호에 등호가 포함되는지 포함되지 않는지에 따라 구하는 값이나 범위가 달라지므로 부등호 모양에 주의해야 한다.

[**일차부등식의 활용**]

다음 물음에 답하시오.

5-1 어떤 짝수를 6배 하여 10을 빼면 이 짝수의 4배에서 1을 뺀 수보다 작다. 이를 만족하는 짝수 중에서 가장 큰 수를 구하시오.

5-2 연속하는 세 홀수의 합이 76보다 크다고 한다. 이와 같은 수 중에서 가장 큰 세 홀수를 구하시오.

6-1 10 %의 소금물 400 g에 물을 더 넣어 8 % 이하의 소금물을 만들려고 한다. 물을 몇 g 이상 부어야 하는지 구하시오.

6-2 10 %의 소금물 300 g과 15 %의 소금물을 섞어서 12 % 이상의 소금물을 만들려고 한다. 15 %의 소금물을 몇 g 이상 섞어야 하는지 구하시오.

7-1 어느 전시회의 입장료는 한 사람당 5000원이고, 20명 이상에 대해서는 입장료의 20 %를 할인해 준다고 한다. 몇 명 이상일 때, 단체 입장권을 사는 것이 유리한지 구하시오.

7-2 어느 책 대여점에서는 회원과 비회원에 대한 책 대여료를 다음과 같이 계산한다.

	회원 가입비	한 권당 대여료
회원	5000원	800원
비회원	없음	1000원

책을 몇 권 이상 빌릴 때, 회원으로 가입하여 빌리는 것이 유리한지 구하시오.

상위권의 눈

▶ 문제에서 '이상(또는 이하)', '초과(또는 미만)' 등의 표현에 주의하여 부등식을 세우고, 문제의 답을 구한다. 이때 구하는 것이 물건의 개수나 사람 수 등인 경우에는 자연수만을 답으로 한다.

▶ x원에서 a %를 할인한 금액 ➡ $x\left(1-\dfrac{a}{100}\right)$원

부등식의 성질

01

다음 중 옳지 <u>않은</u> 것은?

① $a < b$이면 $2a + 3 < 2b + 3$

② $a \geq b$이면 $-\dfrac{a}{3} - 2 \leq -\dfrac{b}{3} - 2$

③ $-3 - a < -3 - b$이면 $a > b$

④ $2a \leq b$이면 $-2(2a - 1) \geq -2(b - 1)$

⑤ $\dfrac{2a - 2}{3} > \dfrac{-3b - 2}{3}$이면 $-2a > 3b$

02

$a > b$이고 $2a < b$일 때, 다음 중 옳은 것을 모두 고르면?

① $5 - a^2 > 5 - b^2$ ② $-2a < b$

③ $a < 2b$ ④ $\dfrac{a}{b} < \dfrac{b}{a}$

⑤ $ac > bc \, (c \neq 0)$

03

$-3 \leq x < 2,\ 0 < y < 3$을 만족하는 $x,\ y$에 대하여 $A = -2x - 2y$일 때, A의 값 중 가장 큰 정수와 가장 작은 정수의 곱을 구하시오.

04

어떤 두 수 a, b에 대하여 $a - b \leq x \leq a + b$, $-a - b \leq y \leq -a + b$일 때, $3x - 2y$의 최댓값을 a, b의 식으로 나타내시오.

05

$[x]$는 x 이상의 최소의 정수를 나타내고, $\{y\}$는 y 이하의 최대의 정수를 나타낸다고 하자. 예를 들어 $[5.3]=6$, $\{5.3\}=5$이다. 두 수 a, b에 대하여 $1<a<2$, $3<b<4$일 때, 다음 물음에 답하시오.

(1) $[a+b]$가 나타낼 수 있는 정수를 모두 구하시오.

(2) $\{b-a\}$가 나타낼 수 있는 정수를 모두 구하시오.

일차부등식의 풀이

06

$|x|\leq 2$일 때, 일차부등식 $x-6<-2x-3$을 만족하는 정수 x의 값을 모두 구하시오.

07

일차부등식 $ax+6>0$의 해가 $x<3$일 때, x에 대한 일차부등식 $ax>1$을 푸시오. (단, a는 상수)

08

x에 대한 일차부등식 $-ax+5<-2x+a+8$의 해를 수직선 위에 나타내면 다음 그림과 같을 때, 상수 a의 값을 구하시오.

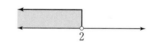

09

x에 대한 부등식 $ax+3a>2x+6$을 푸시오.

(단, a는 상수)

11

$|b|=3$일 때, 일차부등식 $ax-b>2x$의 해는 $x<\dfrac{1}{2}$이다. 이때 $a+b$의 값을 구하시오. (단, $a,\,b$는 상수)

10

다음 두 일차부등식의 해가 서로 같을 때, 자연수 $a,\,b$의 값을 각각 구하시오.

$$5x-8\geq2(x-1),\ bx-6\leq a(x-3)$$

12

일차부등식 $(2a+b)x-a-3b>0$의 해가 $x<\dfrac{2}{3}$일 때, 일차부등식 $(a-3b)x+2a-17b>0$의 해를 구하시오.

(단, $a,\,b$는 상수)

13

다음 조건을 만족하는 0이 아닌 세 수 a, b, c에 대하여 일차부등식 $(a+b)x-c+a > cx-b$의 해를 구하시오.

┤조건├
㈎ $ab < 0$
㈏ $bc > 0$
㈐ $a > c, b > c$

기호가 포함된 일차부등식

14

두 수 a, b에 대하여 $a ◎ b = a - 2b + 3$으로 약속하자.
$(x-1) ◎ (3x-2) > 3 ◎ k$를 만족하는 정수 x의 최댓값이 3일 때, 상수 k의 값의 범위를 구하시오.

15

a를 소수점 아래 첫째 자리에서 반올림한 정수를 $\{a\}$로 나타내기로 하자. 예를 들어 $\{3.65\} = 4$, $\{3.2\} = 3$이다.
이때 $3 \leq \left\{\dfrac{x}{2}+1\right\} < 7$을 만족하는 자연수 x의 개수를 구하시오.

수에 대한 문제

16

십의 자리의 숫자와 일의 자리의 숫자의 합이 10인 두 자리의 자연수가 있다. 이 자연수의 십의 자리의 숫자와 일의 자리의 숫자를 바꾼 수는 처음 수의 3배보다 크다고 한다. 이때 처음 수를 구하시오.

17

어떤 반의 여학생 30명의 수학 성적의 평균이 75점이었다. 이 반의 남학생 수가 20명일 때, 전체 학생들의 수학 성적의 평균이 70점 이상이 되려면 남학생 20명의 수학 성적의 평균은 몇 점 이상이어야 하는지 구하시오.

18

분모, 분자가 모두 자연수인 기약분수가 있다. 이 분수의 분자의 3배는 분모보다 2만큼 작고, 이 분수의 분자에 3을 더한 값은 분모의 $\frac{2}{5}$배보다 크고 $\frac{1}{2}$배보다 작다고 한다. 이 기약분수를 모두 구하시오.

거리, 속력, 시간에 대한 문제

19

주영이네 집에서 학교 정문까지의 거리는 1.8 km이다. 학교에서는 오전 8시 15분까지 학교 정문을 통과하지 않으면 지각 처리를 한다. 주영이가 오전 7시 45분에 집을 나섰을 때, 지각을 하지 않으려면 적어도 시속 몇 km로 걸어야 하는지 구하시오.

20

역에서 기차를 기다리는데 출발 시각까지는 20분의 여유가 있어 약국에 가서 약을 사 오려고 한다. 약국까지 분속 200 m로 걷고 약을 사는 데 5분이 걸린다고 할 때, 역에서 몇 m 이내에 있는 약국을 이용하면 되는지 구하시오.

농도에 대한 문제

21

소금물 200 g에서 물 60 g을 증발시킨 후 소금 10 g을 넣었더니 농도가 처음 농도의 2배 이상의 소금물이 되었다. 이때 처음 소금물의 농도는 최대 몇 %이었는지 구하시오.

22

10 %의 소금물 300 g이 있다. 이 소금물 중 얼마를 버린 후 버린 양의 2배만큼 5 %의 소금물을 섞었더니 농도가 8 % 이하가 되었다. 이때 버린 소금물의 양은 최소 몇 g인지 구하시오.

유리한 방법을 선택하는 문제

23

어느 박물관에서 20명 이상 40명 미만인 단체는 입장료의 15 %를 할인해 주고, 40명 이상의 단체는 입장료의 20 %를 할인해 준다고 한다. 20명 이상 40명 미만인 단체가 입장하려고 할 때, 몇 명 이상이면 40명의 단체 입장권을 사는 것이 유리한지 구하시오.

24

다음 표는 중고차 A, B의 가격과 휘발유 1 L당 주행거리를 나타낸 것이다. 휘발유 가격이 1 L당 1500원일 때, 중고차 B를 사는 것이 유리하려면 중고차를 구입한 후 최소 몇 km를 넘게 타야 하는지 구하시오. (단, 휘발유 가격은 일정하고, 중고차의 가격과 휘발유의 가격만을 생각하여 차를 구입한다.)

	중고차 A	중고차 B
가격(만 원)	400	500
1 L당 주행거리(km)	10	12

도형에 대한 문제

25

다음 그림과 같은 직사각형 ABCD에서 $\overline{CD}$의 중점을 M이라 하자. $\overline{BC}$ 위에 한 점 P를 잡아 △APM의 넓이가 $280\ cm^2$ 이하가 되게 하려고 할 때, $\overline{BP}$의 길이는 몇 cm 이상이어야 하는지 구하시오.

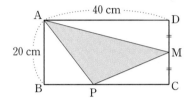

26

다음 그림과 같이 밑면의 지름의 길이가 18 cm이고 높이가 12 cm인 원기둥에 밑면의 지름의 길이가 2 cm인 원기둥 모양의 구멍을 뚫으면 이 입체도형의 겉넓이는 처음 원기둥의 겉넓이보다 커진다. 같은 방법으로 구멍을 계속 뚫는다고 할 때, 새로운 입체도형의 겉넓이가 처음 원기둥의 겉넓이의 2배 이상이 되려면 구멍을 최소 몇 개 이상 뚫어야 하는지 구하시오.

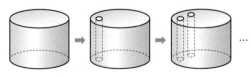

일에 대한 문제

27

용량이 180 L인 물통에 1분에 10 L씩 물이 나오는 호스 A로 물을 채우다가 중간에 1분에 20 L씩 물이 나오는 호스 B로 바꿔서 물을 채웠다. 처음 채우기 시작한지 15분 이내에 물통을 가득 채우려고 할 때, 호스 A로 물을 최대한 몇 분 동안 채울 수 있는지 구하시오.

28

어떤 일을 끝마치는 데 남자 한 명이 하면 8일, 여자 한 명이 하면 12일이 걸린다고 한다. 이 일을 남녀 11명이 함께 하여 하루 만에 끝내려고 할 때, 남자는 몇 명 이상 있어야 하는지 구하시오.

1

다음 조건을 만족하는 네 양수 a, b, c, d의 대소 관계를 부등호를 사용하여 나타내시오.

| 조건 |

(가) $a+b=c+d$

(나) $a+c>b+d$

(다) $\dfrac{c}{a}<\dfrac{d}{a}$

풀이

2 창의력

세 양수 a, b, c에 대하여 $a^3=b^3+c^3$일 때, 다음 보기 중 옳은 것을 모두 고르시오.

| 보기 |

㉠ $a^2<b^2+c^2$

㉡ $a^4>b^4+c^4$

㉢ $a^5<b^5+c^5$

풀이

3 서술형

자연수 x, y, z에 대하여 $x < y < z$이고 $\dfrac{1}{x} + \dfrac{1}{y} + \dfrac{1}{z} = 1$일 때, $x - y + z$의 값을 구하시오.

풀이

4

어느 가게 주인이 달걀 2000개를 구입하여 운반 도중에 100개를 깨뜨렸다. 깨지지 않은 달걀을 모두 팔아서 총 구입 가격의 14 % 이상의 이익을 얻으려면 달걀 한 개당 몇 % 이상의 이익을 붙여서 팔아야 하는지 구하시오. (단, 운반비는 생각하지 않는다.)

풀이

5 [융합형]

터미널에서 버스표를 팔기 시작했을 때 이미 300명이 줄을 서 있었고, 매분 10명씩 새로운 사람이 줄을 더 선다고 한다. 또 현재 발매 창구가 3개 있어서 15분 만에 줄 서 있는 사람이 모두 없어진다고 한다. 8분 이내에 줄 서 있는 사람이 한 사람도 없도록 하려면 발매 창구는 적어도 몇 개 더 있어야 하는지 구하시오.
(단, 모든 창구에서 표를 발매하는 속도는 같고 모든 사람은 표를 한 장씩 산다.)

(풀이)

6 [융합형]

어느 통신 회사에 A, B 두 요금제가 있는데 다음 표에 의하여 기본 요금과 추가 요금의 합으로 월 사용 요금을 계산한다.

	기본요금(원)	추가 요금(원)
A 요금제	a	한 통화당 a원의 1%
B 요금제	b	한 통화당 b원의 2%

A, B 두 요금제를 각각 사용할 때, 월 사용 요금이 같게 되는 통화 수가 존재하고 한 달 동안의 통화 수를 x통화라 하자. A 요금제의 월 사용 요금이 B 요금제의 월 사용 요금보다 적을 때, x의 값의 범위를 a, b를 사용하여 나타내시오.

(풀이)

IV
연립방정식

01 연립방정식과 그 풀이

❶ 미지수가 2개인 일차방정식

(1) 미지수가 2개인 일차방정식   미지수가 2개이고 그 차수가 모두 1인 방정식

$$ax+by+c=0 \,(a, b, c는 \ 상수, \ a\neq0, \ b\neq0)$$

(2) 미지수가 2개인 일차방정식의 해   미지수가 x, y의 2개인 일차방정식을 참이 되게 하는 x, y의 값 또는 그 순서쌍 (x, y)

(3) 미지수가 2개인 일차방정식을 푼다   미지수가 2개인 일차방정식의 해를 모두 구하는 것

개념➕

미지수가 x, y의 2개인 일차방정식이 되려면 동류항끼리 정리하여 x항과 y항이 모두 존재하여야 한다.

→ 간단히 연립방정식이라 한다.

❷ 미지수가 2개인 연립일차방정식

(1) 미지수가 2개인 연립일차방정식   미지수가 2개인 일차방정식 2개를 한 쌍으로 묶어 놓은 것

(2) 연립방정식의 해   연립방정식에서 두 일차방정식을 동시에 만족하는 x, y의 값 또는 그 순서쌍 (x, y)

❸ 연립방정식의 풀이

(1) 대입법

　① 한 방정식을 없애려고 하는 미지수에 대하여 푼다.

　　➡ $x=(y$의 식$)$ 또는 $y=(x$의 식$)$

　② ①의 식을 다른 방정식에 대입하여 방정식을 푼다.

(2) 가감법

　① 없애려는 미지수의 계수의 절댓값이 같아지도록 한다.

　② 두 식을 변끼리 더하거나 빼서 한 미지수를 없앤 후 방정식을 푼다.

　③ ②에서 구한 해를 두 일차방정식 중 간단한 방정식에 대입하여 다른 미지수의 값을 구한다.

개념➕

미지수가 3개 이상인 연립방정식은 주어진 일차방정식을 적당히 변형하여 미지수를 하나씩 없앤다.

[확인 ❶]

다음 보기 중 미지수가 2개인 일차방정식인 것을 모두 고르시오.

┤보기├

㉠ $\dfrac{2}{x}+\dfrac{4}{y}=1$

㉡ $xy-2y=5$

㉢ $3x+5y=7$

㉣ $\dfrac{x}{2}+\dfrac{y}{3}=12$

㉤ $2x^2+x-y=2x^2+11+x^3$

㉥ $x^2+2x-5y+2=2x^2-x+y-x^2$

[확인 ❷]

다음 연립방정식을 푸시오.

$$\begin{cases} x+y=3 \\ y+z=5 \\ z+x=6 \end{cases}$$

3개의 방정식을 모두 더해 봐.

---

④ 여러 가지 연립방정식의 풀이

(1) 괄호가 있는 연립방정식

분배법칙을 이용하여 괄호를 풀고 동류항끼리 정리한 후 푼다.

(2) 계수가 소수인 연립방정식

양변에 10의 거듭제곱을 곱하여 모든 계수를 정수로 바꾼 후 푼다.

(3) 계수가 분수인 연립방정식

양변에 분모의 최소공배수를 곱하여 모든 계수를 정수로 바꾼 후 푼다.

(4) $A=B=C$ 꼴의 방정식

연립방정식 $\begin{cases} A=B \\ A=C \end{cases}$ 또는 $\begin{cases} A=B \\ B=C \end{cases}$ 또는 $\begin{cases} A=C \\ B=C \end{cases}$ 중 가장 간단한 것을 선택하여 푼다.

개념➕

• $\dfrac{a}{x}+\dfrac{b}{y}=k$ 꼴의 연립방정식

➡ $\dfrac{1}{x}=X$, $\dfrac{1}{y}=Y$로 치환하여 연립방정식을 푼 후 X, Y의 값을 이용하여 x, y의 값을 구한다.

• $x:y:z=a:b:c$ 또는 $\dfrac{x}{a}=\dfrac{y}{b}=\dfrac{z}{c}$ 꼴의 연립방정식

➡ $x=ak, y=bk, z=ck(k\neq 0)$로 놓고 푼다.

⑤ 해가 특수한 연립방정식

연립방정식 $\begin{cases} ax+by=c \\ a'x+b'y=c' \end{cases}$ 에서

(1) 해가 무수히 많은 경우 ➡ $\dfrac{a}{a'}=\dfrac{b}{b'}=\dfrac{c}{c'}$

① 두 방정식을 변형하였을 때, 미지수의 계수와 상수항이 각각 같다.

② 한 미지수를 없애면 $0\times x=0$ 또는 $0\times y=0$의 꼴이 된다.

(2) 해가 없는 경우 ➡ $\dfrac{a}{a'}=\dfrac{b}{b'}\neq\dfrac{c}{c'}$

① 두 방정식을 변형하였을 때, 미지수의 계수는 각각 같고 상수항은 다르다.

② 한 미지수를 없애면 $0\times x=(0$이 아닌 수$)$ 또는 $0\times y=(0$이 아닌 수$)$의 꼴이 된다.

개념➕

연립방정식 $\begin{cases} ax+by=0 \\ a'x+b'y=0 \end{cases}$ 에서

① $(0, 0)$인 해가 항상 존재한다.

② $x=0, y=0$ 이외의 해를 가질 조건 ➡ $\dfrac{a}{a'}=\dfrac{b}{b'}$

[확인 ❸]

다음 연립방정식을 푸시오.

$$\begin{cases} \dfrac{1}{4}(3x+y)=\dfrac{1}{2}y-\dfrac{9}{4} \\ 3y-(y-2x)=4+x \end{cases}$$

[확인 ❹]

다음 보기 중 두 일차방정식을 한 쌍으로 하는 연립방정식을 만들어 풀었을 때, 물음에 답하시오.

┤보기├

㉠ $y=-\dfrac{1}{2}x+2$

㉡ $y=2x-1$

㉢ $-4x+2y+2=0$

㉣ $x+2y=2$

(1) 해가 무수히 많은 것끼리 짝 지으시오.

(2) 해가 없는 것끼리 짝 지으시오.

여러 가지 연립방정식의 풀이

다음 연립방정식을 푸시오.

1

(1) $\begin{cases} 0.2x - 0.7y = 0.1 \\ \dfrac{x+2}{4} - \dfrac{y-3}{2} = 4 \end{cases}$

(2) $\begin{cases} 0.\dot{2}x - 0.\dot{3}y = 1.\dot{1} \\ \dfrac{x-1}{6} - \dfrac{y+1}{3} = \dfrac{1}{6} \end{cases}$

순환소수는 분수로 나타낸 후 계산한다.

(3) $\begin{cases} x - y + z = 3 \\ 2x + y + z = 2 \\ x + 2y + 3z = 2 \end{cases}$

미지수가 3개일 때에는 3개의 방정식을 2개씩 묶어 한 미지수를 없앤다.

(4) $\begin{cases} x : y : z = 2 : 3 : 4 \\ 6x + 4y - 3z = 1 \end{cases}$

(5) $\begin{cases} \dfrac{2}{x} + \dfrac{3}{y} = 10 \\ \dfrac{1}{x} + \dfrac{4}{y} = 20 \end{cases}$

$\dfrac{1}{x} = X, \dfrac{1}{y} = Y$ 로 치환한다.

(6) $\begin{cases} x + \dfrac{2}{y} = 4 \\ xy + 6y = 3 \end{cases}$

해의 조건이 주어진 연립방정식

다음 물음에 답하시오.

2-1 연립방정식 $\begin{cases} 0.2x+0.7y=2.4 \\ \dfrac{2}{5}x+y=\dfrac{5}{2}k \end{cases}$ 를 만족하는 y의 값이 x의 값보다 3만큼 작을 때, 상수 k의 값을 구하시오.

2-2 연립방정식 $\begin{cases} 2x-y=7 \\ x+y+2a=1 \end{cases}$ 을 만족하는 x와 y의 값의 차가 3일 때, 가능한 상수 a의 값을 모두 구하시오.

3-1 연립방정식 $\begin{cases} 3x-y=a+1 \\ x+2y=a-1 \end{cases}$ 을 만족하는 x와 y의 값의 비가 $2:1$일 때, 상수 a의 값을 구하시오.

3-2 연립방정식 $\begin{cases} x+y=9 \\ 3x-2y=5+a \end{cases}$ 를 만족하는 x, y에 대하여 x의 절댓값이 y의 절댓값의 2배일 때, 가능한 모든 상수 a의 값의 합을 구하시오.

4-1 다음 두 연립방정식의 해가 서로 같을 때, 상수 a, b의 값을 각각 구하시오.

$$\begin{cases} 2x-3y=-1 \\ ax+3y=11 \end{cases} , \begin{cases} x+2y=3 \\ x+y=b \end{cases}$$

4-2 다음 두 연립방정식의 해가 서로 같을 때, $a+b$의 값을 구하시오. (단, a, b는 상수)

$$\begin{cases} 6x+y=8 \\ ax-by=16 \end{cases} , \begin{cases} 4x+y=4 \\ bx-ay=14 \end{cases}$$

상위권의 눈

▶ x와 y의 값의 차가 a이다. ➡ $|x-y|=a$
    ➡ $x-y=a$일 때와 $y-x=a$일 때로 나누어 생각한다.

▶ x의 절댓값이 y의 절댓값의 a배이다. ➡ $|x|=a|y|$
    ➡ $x=ay$일 때와 $x=-ay$일 때로 나누어 생각한다.

▶ 해가 서로 같은 두 연립방정식의 풀이
    ➡ 미지수가 없는 두 일차방정식으로 연립방정식을 세워 해를 구한 후 나머지 일차방정식에 대입한다.

$$\boxed{\text{해가 특수한 연립방정식}}$$

다음 물음에 답하시오.

5-1 연립방정식 $\begin{cases} x+2y=5 \\ 2x+ay=4 \end{cases}$ 의 해가 없을 때, 상수 a 의 값을 구하시오.

5-2 두 일차방정식 $2x+3y=3a$, $6bx+9y=-18$의 공통인 해가 없을 조건은 $a \neq m$, $b=n$이다. 이때 일차방정식 $-mx+ny=9$를 만족하는 자연수 x, y의 순서쌍 (x, y)는 모두 몇 개인지 구하시오. (단, a, b는 상수)

6-1 연립방정식 $\begin{cases} ax+3y=2 \\ 2x+6y=b \end{cases}$ 의 해가 무수히 많을 때, $a+b$의 값을 구하시오. (단, a, b는 상수)

6-2 연립방정식 $\begin{cases} x-\dfrac{1}{2}y=\dfrac{5}{2} \\ ax+2y=-10 \end{cases}$ 의 해가 2개 이상일 때, 상수 a의 값을 구하시오.

7-1 연립방정식 $\begin{cases} kx-3y=0 \\ 2x+y=kx \end{cases}$ 가 $x=0$, $y=0$ 이외의 해를 가질 때, 상수 k의 값을 구하시오.

7-2 일차방정식 $\dfrac{x-1}{3}=\dfrac{y+1}{2}$ 을 만족하는 x, y에 대하여 $ax+by=10$이 항상 성립할 때, $a+b$의 값을 구하시오. (단, a, b는 상수)

상위권의 눈

▶ '연립방정식 $\begin{cases} ax+by+c=0 \\ a'x+b'y+c'=0 \end{cases}$ 의 해가 무수히 많다.'의 또 다른 표현을 알아 두자.

① 연립방정식의 해가 2개 이상이다.

② 상수항이 0인 연립방정식에서 $x=0$, $y=0$ 이외의 해가 존재한다.

③ 일차방정식 $ax+by+c=0$을 만족하는 x, y에 대하여 $a'x+b'y+c'=0$이 항상 성립한다.

미지수가 2개인 일차방정식

01

다음 중 옳지 <u>않은</u> 것을 모두 고르면?

① $xy+y=8$은 x, y에 대한 일차방정식이다.

② 일차방정식 $x+ay=-5$(a는 상수)의 한 해가 $(-1, 2)$일 때, $(3, 4)$도 해가 된다.

③ x, y가 자연수일 때, 일차방정식 $x+y-6=0$의 해는 5개이다.

④ x, y가 정수일 때, 일차방정식 $2x-y=1$의 해는 무수히 많다.

⑤ x, y에 대한 연립일차방정식의 해는 항상 한 쌍이다.

02

일차방정식 $2x-3y=21$을 만족하는 두 자연수 x, y의 최소공배수가 72일 때, $x-y$의 값을 구하시오.

03

x, y에 대한 일차방정식 $(a-3b)x+(2a-b)y=0$의 해가 $(1, -1)$일 때, x, y에 대한 일차방정식 $2by+3a=4b+2ax$를 만족하는 자연수 x, y의 순서쌍 (x, y)는 모두 몇 개인지 구하시오.

(단, a, b는 상수이고 $ab \neq 0$)

04

연립방정식 $\begin{cases} 17x+13y=82 \\ y=mx-1 \end{cases}$ 을 만족하는 x, y가 모두 자연수일 때, 상수 m의 값을 구하시오.

연립방정식의 풀이

05

방정식 $\dfrac{4x+y}{5}=\dfrac{5x+ay}{4}=1$의 해가 일차방정식

$2x-y=7$을 만족할 때, 상수 a의 값을 구하시오.

06

다음 연립방정식을 만족하는 x에 대하여 일차방정식
$ax+b=cx+d$의 해와 일치하지 <u>않는</u> 것은?

(단, a, b, c, d는 상수이고 $a \neq c$)

① $\begin{cases} y=(a-c)x \\ y=d-b \end{cases}$ ② $\begin{cases} y=cx-b \\ y=ax-d \end{cases}$

③ $\begin{cases} y=(a-5)x+b \\ y=(c-5)x+d \end{cases}$ ④ $\begin{cases} y=-ax+4d \\ y=-cx+b+3d \end{cases}$

⑤ $\begin{cases} y=ax-3d \\ y=cx-3b \end{cases}$

07

연립방정식 $\begin{cases} 2^{x+1}-3^y=7 \\ 2^x+3^{y+2}=89 \end{cases}$의 해를 구하시오.

(단, x, y는 자연수)

08

연립방정식 $\begin{cases} 4x-3y+a=0 \\ x+2y-2a=0 \end{cases}$을 만족하는 x, y에 대하여

$x : y$를 가장 간단한 자연수의 비로 나타내시오.

(단, a는 상수)

09

연립방정식 $\begin{cases} |x|-y=6 \\ x-3y=14 \end{cases}$ 의 해를 구하시오.

해의 조건이 주어진 연립방정식

10

다음 두 연립방정식 A, B를 풀었더니 연립방정식 B의 해는 연립방정식 A의 해의 x, y의 값을 서로 바꾸어 놓은 것과 같았다. 이때 상수 a, b의 값을 각각 구하시오.

$$A: \begin{cases} 3x-2y=8 \\ 2ax+3y=b+11 \end{cases}$$
$$B: \begin{cases} ax-2by=5 \\ 4x+5y=6 \end{cases}$$

11

연립방정식 $\begin{cases} 5x-4y=a \\ 7x-5y=a+9 \end{cases}$ 를 만족하는 x, y의 값이 연속하는 두 홀수일 때, 상수 a의 값을 구하시오.

(단, $x<y$)

12

연립방정식 $\begin{cases} 0.\dot{a}x+0.\dot{1}y=4.\dot{6} \\ 1.\dot{1}x-0.\dot{b}y=0.\dot{6} \end{cases}$ 을 만족하는 x, y의 최대공약수는 6이고 최소공배수는 18일 때, ab의 값을 구하시오. (단, a, b는 한 자리의 자연수이고 $x<y$)

해가 특수한 연립방정식

13

연립방정식 $\begin{cases} 3x+9y=4a \\ x+ay=4 \end{cases}$ 의 해가 무수히 많을 때, x에 대한 일차방정식 $(m+a-5)x+m+6=0$이 해를 갖지 않기 위한 상수 m의 값을 구하시오. (단, $a \neq 0$)

14

연립방정식 $\begin{cases} ax-y=a+2 \\ 4x-ay=a+6 \end{cases}$ 은 $a=p$일 때는 해가 무수히 많고, $a=q$일 때는 해가 없다. 이때 p, q의 값을 각각 구하시오. (단, a는 상수)

계수를 잘못 보고 해를 구한 연립방정식

15

연립방정식 $\begin{cases} ax+by=-5 \\ 5x+cy=7 \end{cases}$ 을 푸는데 c를 잘못 보고 풀어서 $x=0$, $y=1$의 해를 얻었다. 바르게 구한 해가 $x=3$, $y=4$일 때, $a+b+c$의 값을 구하시오. (단, a, b, c는 상수)

16

연립방정식 $\begin{cases} ax+by=4 \\ cx+dy=8 \end{cases}$ 을 A, B, C 세 사람이 각각 푸는데 A는 바르게 보고 풀어서 $x=4$, $y=2$의 해를 얻었다. B는 b를 잘못 보고 풀어서 $x=-12$, $y=10$의 해를 얻었고, C는 c를 잘못 보고 풀어서 $x=20$, $y=14$의 해를 얻었다. 이때 상수 a, b, c, d의 값을 각각 구하시오.

미지수가 3개인 연립방정식

17

연립방정식 $\begin{cases} xy - yz + 2zx = 7xyz \\ 2xy + 3yz - 2zx = 4xyz \\ 3xy + 5yz - 4zx = 3xyz \end{cases}$ 의 해를 구하시오.

(단, $xyz \neq 0$)

19

연립방정식 $\begin{cases} x - 2y + z = 0 \\ 3x + 2y + z = 0 \end{cases}$ 을 만족하는 x, y, z에 대하여 다음 식의 값을 구하시오. (단, $xyz \neq 0$)

$$\frac{y+z}{x} + \frac{z+x}{y} + \frac{x+y}{z}$$

18

연립방정식 $\begin{cases} x + y = 10 \\ y + z = 16 \\ z + x = a \end{cases}$ 를 만족하는 x, y가 모두 양수일 때, 상수 a의 값의 범위를 구하시오.

20

연립방정식 $\begin{cases} x + y - z = 0 \\ 3x + 8y - 6z = 0 \end{cases}$ 을 만족하는 세 자연수 x, y, z의 최소공배수가 180일 때, $x - y + z$의 값을 구하시오.

21

$(a+b):(b+c):(c+a)=3:4:5$이고
$a+b+c=24$일 때, a^2-bc의 값을 구하시오.

23

서로 다른 두 수 x,y에 대하여 $\{x,y\}$는 x,y 중에서 큰 수를 나타내고, $\langle x,y\rangle$는 x,y 중에서 작은 수를 나타낸다. 이때 다음 연립방정식의 해를 구하시오.

$$\begin{cases} \{x,y\}=x-y-1 \\ \langle x,y\rangle=x+y+2 \end{cases}$$

특수한 기호가 있는 연립방정식

22

두 수 a,b에 대하여 $a\circ b$를 다음과 같이 약속하자.
이때 연립방정식 $\begin{cases} x-y=1\circ 5 \\ x+y=3\circ(-2) \end{cases}$ 의 해를 구하시오.

$$a\circ b=\begin{cases} a-b & (a,b\text{가 같은 부호일 때}) \\ a+b+1 & (a,b\text{가 다른 부호일 때}) \end{cases}$$

24

두 수 a,b에 대하여 $a*b=ab+a-b$로 약속할 때, 다음 연립방정식의 해를 구하시오.

$$\begin{cases} (x*2)-(3*y)=5 \\ 4*(x*2)+(3*y)*6=3 \end{cases}$$

1

세 자연수 x, y, z에 대하여 다음 두 식을 만족하는 순서쌍 (x, y, z)는 모두 몇 개인지 구하시오.

$$xy + yz = 51, \ xz + yz = 19$$

풀이

2 창의력

오른쪽은 네 자리의 자연수끼리의 뺄셈을 한 것이다. 이때 $3a - 2b$의 값을 구하시오.

(단, a, b는 0 또는 한 자리의 자연수)

$$\begin{array}{r} a \ 1 \ 0 \ b \\ -) \ 1 \ 0 \ b \ a \\ \hline b \ 0 \ 1 \ a \end{array}$$

풀이

3

연립방정식 $\begin{cases} |x| - x + y = 4 \\ |x + y| - y = 8 \end{cases}$ 을 만족하는 x, y에 대하여 $\dfrac{x}{y}$의 값을 모두 구하시오.

풀이

4 창의력

다음 연립방정식을 만족하는 a, b, c, d에 대하여 $a+b+c+d$의 값을 구하시오.

$$\begin{cases} a+2b+4c+5d=100 \\ a+3b+2c+5d=-100 \\ 6a+4b+c-2d=100 \\ 4a+3b+3c+2d=-100 \end{cases}$$

풀이

5

0이 아닌 세 수 x, y, z가 연립방정식 $\begin{cases} \dfrac{xy}{x+y}=\dfrac{1}{3} \\ \dfrac{yz}{y+z}=\dfrac{1}{5} \\ \dfrac{zx}{z+x}=\dfrac{1}{4} \end{cases}$ 을 만족할 때,

$\dfrac{3xy+2yz+zx}{xyz}$ 의 값을 구하시오.

풀이

6 서술형

연립방정식 $\begin{cases} \dfrac{1}{x}+\dfrac{1}{y+z}=\dfrac{1}{2} \\ \dfrac{1}{y}+\dfrac{1}{z+x}=\dfrac{1}{3} \\ \dfrac{1}{z}+\dfrac{1}{x+y}=\dfrac{1}{4} \end{cases}$ 의 해를 구하시오. (단, $xyz \neq 0$)

풀이

7 창의력

다음 조건을 만족하는 x_1, x_2, x_3, $\cdots$, x_n(n은 자연수)에 대하여 $x_1^5 + x_2^5 + x_3^5 + \cdots + x_n^5$의 값을 구하시오.

┤ 조건 ├
(가) x_1, x_2, x_3, $\cdots$, x_n은 각각 0, 1, -2 중 어느 하나의 값만 가진다.
(나) $x_1 + x_2 + x_3 + \cdots + x_n = -5$
(다) $x_1^2 + x_2^2 + x_3^2 + \cdots + x_n^2 = 19$

풀이

8

아래 식을 만족하는 x_1, x_2, x_3, $\cdots$, x_n(n은 자연수)에 대하여 다음 중 옳지 <u>않은</u> 것은?

$$x_1 + x_2 + x_3 = 9$$
$$x_2 + x_3 + x_4 = 9$$
$$x_3 + x_4 + x_5 = 9$$
$$\vdots$$
$$x_{n-1} + x_n + x_1 = 9$$
$$x_n + x_1 + x_2 = 9$$

① $x_1 = x_4 = x_7 = \cdots$이다.
② $x_3 = x_6 = x_9 = \cdots$이다.
③ n이 3의 배수이면 $x_{n-2} = x_1$, $x_{n-1} = x_2$, $x_n = x_3$이다.
④ n이 3의 배수이면 $x_1 = x_2 = x_3$이다.
⑤ $n = 10$이면 $x_1 = x_2 = x_3 = \cdots = x_{10} = 3$이다.

풀이

02 연립방정식의 활용

❶ 수, 나이, 개수에 대한 문제

(1) 자연수에 대한 문제

십의 자리의 숫자가 x, 일의 자리의 숫자가 y인 두 자리의 자연수에서

① 처음 수 ➡ $10x+y$

② 십의 자리의 숫자와 일의 자리의 숫자를 바꾼 수 ➡ $10y+x$

(2) 수의 연산

a를 b로 나누면 몫이 q이고 나머지가 r이다.

➡ $a=bq+r$ (단, $0 \le r < b$)

(3) 나이에 대한 문제

현재 x세인 사람의

① a년 전의 나이 ➡ $(x-a)$세

② b년 후의 나이 ➡ $(x+b)$세

(4) 물건의 개수와 가격에 대한 문제

① (전체 가격)＝(물건 한 개의 가격)×(물건의 개수)

② (거스름돈)＝(낸 돈)－(물건의 가격)

❷ 거리, 속력, 시간에 대한 문제

(1) 호수의 둘레를 도는 문제

① 반대 방향으로 돌다가 만나면 ➡ (거리의 합)＝(호수의 둘레의 길이)

② 같은 방향으로 돌다가 만나면 ➡ (거리의 차)＝(호수의 둘레의 길이)

(2) 일정한 속력으로 터널 또는 다리를 완전히 통과하는 기차에 대한 문제

(기차가 이동한 거리)＝(터널 또는 다리의 길이)＋(기차의 길이)

(3) 흐르는 강물에서의 배의 속력에 대한 문제

① (강을 따라 내려올 때의 속력)

＝(정지한 물에서의 배의 속력)＋(강물의 속력)

② (강을 거슬러 올라갈 때의 속력)

＝(정지한 물에서의 배의 속력)－(강물의 속력)

개념＋

거리, 속력, 시간의 단위가 다를 때에는 단위를 통일한다.

① 1시간＝60분＝3600초

② 1 km＝1000 m＝100000 cm

[확인 ❶]

서로 다른 두 자연수의 합이 31이다. 큰 수를 작은 수로 나누면 몫이 6이고 나머지가 3일 때, 두 수를 구하시오.

나이, 개수 등을 구하는 문제에서는 방정식의 해가 자연수임에 주의해!

[확인 ❷]

둘레의 길이가 2 km인 호수가 있다. 효중이와 경민이가 호수의 둘레를 도는데 같은 지점에서 동시에 출발하여 같은 방향으로 돌면 20분 후에 처음으로 다시 만나고, 반대 방향으로 돌면 5분 후에 처음으로 다시 만난다고 한다. 효중이와 경민이의 속력은 각각 분속 몇 m인지 구하시오. (단, 효중이의 속력이 경민이의 속력보다 빠르다.)

❸ 일에 대한 문제

전체 일의 양을 1로 놓고, 한 사람이 단위 시간(하루, 1분, 1시간 등) 동안 할 수 있는 일의 양을 미지수로 놓고 식을 세운다.

(1) 일을 완성하는 데 n일이 걸릴 때

➡ 하루 동안 하는 일의 양은 $\dfrac{1}{n}$

(2) 물을 채우는 데 n시간이 걸릴 때

➡ 1시간 동안 채울 수 있는 물의 양은 $\dfrac{1}{n}$

【확인 ❸】
A, B 두 사람이 함께 하면 6시간 만에 끝마칠 수 있는 일이 있다. 이 일을 A가 혼자 9시간 동안 작업한 뒤 B가 혼자 4시간 동안 작업하여 끝마쳤다고 할 때, B가 혼자서 이 일을 끝마치려면 몇 시간이 걸리는지 구하시오.

❹ 농도에 대한 문제

(1) (소금물의 농도)$=\dfrac{(\text{소금의 양})}{(\text{소금물의 양})}\times100\ (\%)$

(2) (소금의 양)$=\dfrac{(\text{소금물의 농도})}{100}\times(\text{소금물의 양})$

개념⁺

① 농도가 다른 두 소금물을 섞으면 농도는 변하지만 소금의 양은 변하지 않는다.
② 소금물에 물을 더 넣거나 물을 증발시켜도 소금의 양은 변하지 않는다.

【확인 ❹】
8 %의 소금물과 3 %의 소금물을 섞어 5 %의 소금물 200 g을 만들었다. 이때 8 %의 소금물과 3 %의 소금물의 양을 각각 구하시오.

❺ 증가, 감소에 대한 문제

(1) x에서 a % 증가

① 증가량 ➡ $\dfrac{a}{100}x$

② 증가한 후 전체의 양 ➡ $\left(1+\dfrac{a}{100}\right)x$

(2) x에서 b % 감소

① 감소량 ➡ $\dfrac{b}{100}x$

② 감소한 후 전체의 양 ➡ $\left(1-\dfrac{b}{100}\right)x$

【확인 ❺】
어느 중학교의 작년의 전체 학생 수는 600명이었다. 올해는 작년에 비하여 여학생 수는 10 % 증가하고, 남학생 수는 20 % 감소하여 570명이 되었다. 올해의 여학생 수와 남학생 수를 각각 구하시오.

❻ 원가, 정가에 대한 문제

(1) 원가 x원에 a %의 이익을 붙인 정가

➡ (정가)=(원가)+(이익)

$=x+x\times\dfrac{a}{100}=\left(1+\dfrac{a}{100}\right)x(\text{원})$

(2) 정가 x원에서 b %를 할인한 판매 가격

➡ (판매 가격)=(정가)-(할인 금액)

$=x-x\times\dfrac{b}{100}=\left(1-\dfrac{b}{100}\right)x(\text{원})$

(3) (이익)=(판매 가격)-(원가)

【확인 ❻】
35000원으로 A, B 두 제품을 각각 한 개씩 사서 A 제품은 원가의 20 %, B 제품은 원가의 30 %의 이익을 붙여 정가를 정하여 팔았더니 9500원의 이익을 얻었다. 이때 A 제품의 정가를 구하시오.

수, 나이, 개수에 대한 문제

다음 물음에 답하시오.

1-1 두 자리의 자연수가 있다. 십의 자리의 숫자와 일의 자리의 숫자의 합은 12이고, 십의 자리의 숫자와 일의 자리의 숫자를 바꾼 수는 처음 수보다 36만큼 작다고 한다. 이때 처음 수를 구하시오.

1-2 두 자리의 자연수가 있다. 십의 자리의 숫자의 3배는 일의 자리의 숫자보다 1만큼 크고, 일의 자리의 숫자와 십의 자리의 숫자를 바꾼 수는 처음 수의 2배보다 2만큼 크다고 한다. 이때 처음 수를 구하시오.

2-1 현재 어머니와 아들의 나이의 차는 26세이고, 12년 후에는 어머니의 나이는 아들의 나이의 2배보다 1세가 많다고 한다. 현재 아들의 나이를 구하시오.

2-2 올해 민수의 부모님의 나이의 합은 민수의 나이의 8배와 같고, 5년 전 부모님의 나이의 합은 민수의 나이의 13배였다고 한다. 올해 민수의 나이를 구하시오.

3-1 성냥개비 1개를 한 변으로 하여 서로 떨어져 있는 삼각형과 사각형을 만들려고 한다. 성냥개비 78개를 모두 사용하여 만든 삼각형과 사각형의 개수의 합이 23개가 되도록 할 때, 만들 수 있는 삼각형과 사각형의 개수를 각각 구하시오.

3-2 어느 박물관의 어른 4명과 어린이 10명의 입장료는 10000원이고 어린이 5명의 입장료와 어른 3명의 입장료가 같을 때, 어른 1명과 어린이 1명의 입장료를 각각 구하시오.

상위권의 눈

▶ 두 자리의 자연수에서 십의 자리의 숫자를 x, 일의 자리의 숫자를 y라 하면
① 처음 수 ➡ $10x+y$
② 십의 자리의 숫자와 일의 자리의 숫자를 바꾼 수 ➡ $10y+x$

▶ 현재 나이가 x세인 사람의
① a년 전의 나이 ➡ $(x-a)$세
② b년 후의 나이 ➡ $(x+b)$세

거리, 속력, 시간에 대한 문제

다음 물음에 답하시오.

4-1 세희의 집에서 학교까지의 거리는 3 km이다. 세희가 오전 8시에 집에서 출발하여 시속 4 km로 걷다가 도중에 시속 10 km로 뛰어 오전 8시 27분에 학교에 도착하였다. 이때 세희가 뛴 거리를 구하시오.

4-2 세현이가 집에서 학교에 가기 위해 오전 7시 35분에 집을 나섰다. 시속 6 km로 버스정류장까지 걸은 후 시속 60 km인 버스를 타서 오전 8시 20분에 학교에 도착하였다. 버스정류장에서 버스를 기다린 시간은 5분이었고 집에서 학교까지의 거리는 22 km일 때, 버스를 탄 거리를 구하시오.

5-1 일정한 속력으로 달리는 기차가 길이가 600 m인 철교를 완전히 지나는 데 30초가 걸렸고, 길이가 1.6 km인 터널을 완전히 통과하는 데 1분 10초가 걸렸다. 이때 기차의 길이를 구하시오.

5-2 일정한 속력으로 달리는 기차가 길이가 1.7 km인 터널을 완전히 통과하는 데 6분이 걸렸고, 길이가 50 m인 철교를 완전히 통과하는 데 30초가 걸렸다고 한다. 이 기차의 속력과 길이를 각각 구하시오.

상위권의 눈

▶ (거리)=(속력)×(시간), (속력)=$\frac{(거리)}{(시간)}$, (시간)=$\frac{(거리)}{(속력)}$

▶ 거리, 속력, 시간의 단위가 다를 때에는 단위를 통일한다.
  ① 1시간=60분=3600초
  ② 1 km=1000 m=100000 cm

비율에 대한 문제
다음 물음에 답하시오.

6-1 어느 중학교의 작년의 전체 학생 수는 700명이었고, 올해는 작년보다 남학생 수는 5 % 감소하고 여학생 수는 10 % 증가하여 전체적으로 10명이 증가하였다. 올해의 남학생 수와 여학생 수를 각각 구하시오.

6-2 어느 중학교의 올해의 전체 학생 수는 1080명이다. 이는 작년에 비해 남학생 수는 2 % 증가하고 여학생 수는 8 % 감소하여 전체적으로 4 % 감소한 것이다. 작년의 남학생 수와 여학생 수를 각각 구하시오.

7-1 물속에서 금은 그 무게의 $\frac{1}{19}$만큼 덜 나가고, 구리는 그 무게의 $\frac{1}{8}$만큼 덜 나간다고 한다. 무게가 73 g인 금과 구리의 합금을 물속에서 재었더니 68 g이었다고 할 때, 이 합금에 섞여 있는 금의 무게를 구하시오.

7-2 전체 학생 수가 35명인 반에서 남학생 수의 $\frac{1}{10}$과 여학생 수의 $\frac{1}{3}$이 안경을 끼고 있다. 안경을 낀 학생 수가 반 전체 학생 수의 $\frac{1}{5}$일 때, 안경을 낀 여학생 수를 구하시오.

상위권의 눈

▶ ① x에서 a % 증가한 후의 전체의 양: $\left(1+\dfrac{a}{100}\right)x$

② x에서 b % 감소한 후의 전체의 양: $\left(1-\dfrac{b}{100}\right)x$

수, 나이, 개수에 대한 문제

01

미선이와 지유는 계단에서 가위바위보를 하여 이긴 사람은 3계단씩 올라가고, 진 사람은 2계단씩 내려가기로 하였다. 얼마 후 미선이는 처음 위치보다 2계단을, 지유는 처음 위치보다 7계단을 올라가 있었다. 이때 지유가 이긴 횟수를 구하시오. (단, 비기는 경우는 생각하지 않는다.)

02

각 자리의 숫자의 합이 16인 세 자리의 자연수가 있다. 백의 자리의 숫자와 일의 자리의 숫자를 바꾸면 처음 수보다 99만큼 커진다. 또 백의 자리의 숫자의 3배는 십의 자리의 숫자와 일의 자리의 숫자의 합과 같을 때, 처음 수를 구하시오.

03

현재 이모와 조카의 나이의 합은 80세이다. 몇 년 전 이모가 현재 조카의 나이였을 때, 조카의 나이는 그 당시 이모의 나이의 $\frac{1}{2}$이었다. 현재 이모와 조카의 나이를 각각 구하시오.

04

100원짜리와 500원짜리 동전을 합하여 15개를 가지고 자동판매기에서 450원짜리 음료수를 뽑으려고 한다. 먼저 500원짜리 동전을 1개 사용하여 음료수를 뽑고 거스름돈을 받는다. 이와 같이 계속하여 500원짜리 동전을 모두 쓰고 받은 거스름돈과 100원짜리 동전을 모두 합하여 다시 2개의 음료수를 뽑고 50원이 남았다. 처음에 가지고 있던 100원짜리 동전의 개수를 구하시오.

05

예준이와 수희는 편지지와 봉투가 함께 들어 있는 동일한 편지지 세트를 하나씩 샀다. 예준이는 편지 한 통당 1장의 편지지를 사용하고, 수희는 편지 한 통당 3장의 편지지를 사용한다. 편지를 여러 통 보낸 결과 예준이는 편지지만 20장이 남았고, 수희는 봉투만 20장이 남았다. 처음 편지지 세트 속에 들어 있는 편지지와 봉투는 각각 몇 장인지 구하시오.

거리, 속력, 시간에 대한 문제

06

현아가 친구와 만나기 위해 집에서 약속 장소로 가려고 한다. 시속 5 km로 걸어가면 예정 시간보다 4분 일찍 도착하고, 시속 4 km로 걸어가면 예정 시간보다 5분 늦게 도착한다고 한다. 이때 집에서 약속 장소까지의 거리와 가는 데 걸리는 예정 시간을 각각 구하시오.

07

유람선을 타고 길이가 30 km인 강을 따라 내려오는 데 1시간 40분, 같은 거리를 거슬러 올라가는 데 2시간 30분이 걸렸다. 유람선을 타고 강을 왕복하는 데 3시간 20분이 걸리는 관광 코스를 짜려고 할 때, 몇 km를 내려왔다가 돌아가면 되는지 구하시오.

(단, 유람선의 속력과 강물의 속력은 일정하다.)

08

철수, 기훈, 대호가 학교에서 함께 도서관에 가려고 하는데 철수에게만 자전거 한 대가 있다. 그래서 철수가 기훈이를 태우고 도서관에 데려다준 후 돌아와서 걸어오던 대호를 자전거에 태우고 도서관에 가기로 하였다. 세 사람이 동시에 학교를 출발하고 대호가 기훈이보다 30분 늦게 도서관에 도착하였을 때, 학교와 도서관 사이의 거리를 구하시오. (단, 철수는 자전거를 타고 시속 16 km로 달리고, 대호는 시속 4 km로 걷는다. 또 자전거에서 타고 내리는 시간은 생각하지 않는다.)

일에 대한 문제

09

A, B, C 세 사람이 함께 하면 1시간 반에 끝나는 일이 있다. C가 혼자 하면 3시간이 걸리는 이 일을 A가 먼저 30분 동안 한 후, 나머지는 B와 C가 1시간 30분 동안 함께 하여 끝냈다고 한다. 이 일을 B가 혼자서 할 때, 몇 시간이 걸리는지 구하시오.

11

어떤 일을 지은이가 혼자서 하면 x일, 준민이가 혼자서 하면 y일이 걸리고 지은이와 준민이가 같이 하면 하루에 전체 일의 양의 $\dfrac{2}{15}$만큼 할 수 있다고 한다. 이 일을 지은이와 준민이가 함께 3일 동안 하고 나머지를 지은이가 6일, 준민이가 2일 더 하여 끝냈다. 이때 $y-x$의 값을 구하시오.

10

어느 물통에 물을 가득 채우는 데 세 수도꼭지 A, B, C를 모두 사용하면 1시간이 걸리고, 두 수도꼭지 A, B를 함께 사용하면 2시간, 두 수도꼭지 B, C를 함께 사용하면 1시간 30분이 걸린다고 한다. 두 수도꼭지 A, C를 함께 사용하여 이 물통에 물을 가득 채우는 데 걸리는 시간을 구하시오.

12

어떤 물탱크에 물을 채울 수 있는 A 호스와 물을 빼낼 수 있는 B 호스, C 호스가 있다. A 호스로 물을 채우면서 B 호스로 물을 빼면 물탱크를 가득 채우는 데 6시간이 걸리고, A 호스로 물을 채우면서 C 호스로 물을 빼면 물탱크를 가득 채우는 데 5시간 20분이 걸린다고 한다. 또 A 호스로 물을 채우면서 B 호스와 C 호스를 함께 사용하여 물을 빼면 물탱크를 가득 채우는 데 9시간 36분이 걸린다고 할 때, 이 물탱크에 가득 찬 물을 B 호스와 C 호스를 함께 사용하여 완전히 빼내는 데 걸리는 시간을 구하시오.

농도에 대한 문제

13

4 %의 소금물과 6 %이 소금물을 섞은 후 물을 더 넣어 4.5 %의 소금물 600 g을 만들었다. 4 %의 소금물의 양과 더 넣은 물의 양의 비가 3 : 2일 때, 더 넣은 물의 양을 구하시오.

14

농도가 다른 두 소금물 A, B가 각각 100 g씩 있다. 두 소금물 A, B를 각각 40 g씩 덜어 내어 서로 바꾸어 넣은 후, 물을 증발시켰더니 두 소금물 A, B에 들어 있는 소금의 양은 각각 4 g, 5 g이었다. 이때 처음 두 소금물 A, B의 농도를 각각 구하시오.

15

농도가 다른 두 소금물 A, B가 각각 400 g씩 있다. 먼저 소금물 A의 반을 소금물 B에 넣고 섞은 후, 다시 소금물 B의 반을 소금물 A에 넣고 섞었더니 소금물 A의 농도는 13 %, 소금물 B의 농도는 9 %가 되었다. 이때 처음 두 소금물 A, B의 농도를 각각 구하시오.

16

농도가 다른 두 소금물 A, B에서 같은 양의 소금물을 덜어 낸 후 섞어서 소금물 C를 만들었더니 소금의 양과 물의 양의 비가 1 : 3이었다. 소금물 A에서 처음에 덜어 낸 양의 2배의 소금물을 덜어 내어 소금물 C에 다시 섞었더니 소금의 양과 물의 양의 비가 1 : 4이었다. 이때 소금물 A에 들어 있는 소금의 양과 물의 양의 비를 가장 간단한 자연수의 비로 나타내시오.

비율에 대한 문제

17

합금 A는 구리와 아연을 3 : 1의 비율로 포함하고, 합금 B는 구리와 아연을 2 : 3의 비율로 포함한다. 두 합금 A, B를 녹여서 구리와 아연을 5 : 4의 비율로 포함한 합금 450 g을 만들려고 한다. 이때 필요한 합금 A의 양과 합금 B의 양을 각각 구하시오.

　　　　　(단, 두 합금은 구리와 아연으로만 이루어져 있다.)

18

어느 중학교 2학년 남녀 학생 수의 비는 4 : 3이다. 2학년 학생들에게 농구와 야구 중 한 가지를 선택하게 하였더니 농구를 선택한 남녀 학생 수의 비는 3 : 2, 야구를 선택한 남녀 학생 수의 비는 6 : 5이었다. 농구를 선택한 학생 수가 총 150명일 때, 2학년 전체 학생 수를 구하시오.

원가, 정가에 대한 문제

19

어떤 가게에서 원가가 1500원인 A 제품에는 30 %의 이익을 붙이고 원가가 2000원인 B 제품에는 50 %의 이익을 붙여 45개를 판매하였더니 31250원의 이익을 얻었다고 한다. 이때 판매한 A 제품과 B 제품의 개수를 각각 구하시오.

20

어느 가게에서 티셔츠는 15 %, 바지는 20 % 할인하여 판매하고 있다. 할인하기 전 판매 가격의 합이 56000원인 티셔츠와 바지의 할인한 후 판매 가격의 합은 할인하기 전보다 10200원이 더 저렴할 때, 할인한 바지의 판매 가격을 구하시오.

21

A, B 두 제품을 합하여 30000원에 사서 A 제품은 30 %, B 제품은 20 %의 이익을 붙여 정가를 정하였다. 행사 기간에 두 제품을 정가에서 각각 10 %씩 할인하여 팔았더니 4020원의 이익을 얻었다. 이때 A 제품의 원가를 구하시오.

이야기 속 연립방정식의 활용

22

다음 노새와 당나귀의 짐 옮기기 이야기를 읽고, 노새와 당나귀의 짐은 각각 몇 자루인지 구하시오.

한 소금 장수가 노새와 당나귀의 등에 소금 짐을 싣고 다른 마을로 가고 있었다. 당나귀가 투덜거리기를 자기 짐이 너무 무겁다는 것이었다. 그러자 옆에서 같이 걷던 노새가 당나귀에게 다음과 같이 핀잔을 주었다.

"도대체 뭘 그렇게 투덜거리느냐? 내가 너에게서 두 자루의 짐을 받으면 내 짐은 너의 짐의 두 배가 돼. 그 대신에 네가 내 짐에서 세 자루를 가져가면 너의 짐은 내 짐과 똑같이 된단 말이야. 그런데도 나는 가만히 있는데 넌 왜 그리 불평이 많으냐?"

23

다음 어느 구두쇠 부부에 대한 이야기를 읽고, 금화 1개와 은화 1개로 바꿀 수 있는 염소는 각각 몇 마리인지 구하시오.

옛날에 오로지 재물을 모으기만 하는 욕심 많은 부부가 있었다. 재물을 모으기만 하고 쓰지는 않았기 때문에 욕심 많은 부부의 밭과 염소는 날이 갈수록 많아졌고, 나날이 쌓이는 재물 덕분에 걱정 없이 살림을 꾸려 나갈 수 있었다.

하지만 이 구두쇠에게도 고민이 없는 것은 아니었다.

'허 참, 도둑을 맞으면 어쩐다! 열심히 모아 보았자 헛수고인데……'

그러던 어느 날 구두쇠는 걱정 끝에 묘수를 생각해 내고는 시장에 나가 염소 35마리를 금화 6개, 은화 5개와 바꾸었고 나머지 염소 15마리도 금화 1개와 은화 10개로 바꾸었다. 구두쇠는 집으로 돌아와서 금화와 은화를 모두 작은 항아리에 넣어 뒤뜰에 파묻었다. 저녁이 되자 부인이 염소가 모두 없어진 것을 알고 깜짝 놀라 구두쇠에게 물었다.

"여보, 큰일 났어요! 그 많던 염소가 다 없어졌어요!"

"걱정 말아요. 내가 잘 보관해 놓았소. 하하하."

"무슨 말이에요?"

"내가 염소를 금화와 은화로 바꾸었더니 모두 22개밖에 되지 않아서 작은 항아리에 넣어 뒤뜰에 파묻어 두었소."

남편의 말을 들은 아내는 잘했다며 칭찬했다.

하지만 욕심 많은 부부는 다음 날부터 염소의 우유를 먹을 수 없게 되었고, 뒤뜰에 있는 항아리가 걱정이 되어 잠을 이룰 수가 없었다.

1

50명의 학생이 시험을 본 결과 그중에서 30명은 합격하였다. 합격자의 최저 합격 점수는 50명의 평균 점수보다 2점 낮으며, 합격자의 평균 점수보다는 20점이 낮고, 불합격자의 평균 점수의 2배보다 5점이 낮았다. 이때 합격자의 최저 합격 점수를 구하시오.

(풀이)

2 창의+융합

오른쪽 그림과 같이 1, 2, 3의 숫자가 하나씩 적힌 카드가 각각 6장, 5장, 4장이 있다. 이 15장의 카드 중 A가 9장, B가 나머지 6장을 가

진 후, 카드에 적힌 숫자를 모두 확인한 결과는 다음과 같다. 이때 A가 가진 카드 중 숫자 2가 적힌 카드는 모두 몇 장인지 구하시오.

(풀이)

(가) A가 가진 카드에 적힌 9개의 숫자를 모두 더한 값은 B가 가진 카드에 적힌 6개의 숫자를 모두 더한 값보다 2만큼 크다.

(나) A가 가진 카드에 적힌 9개의 숫자를 각각 제곱한 후 모두 더한 값은 B가 가진 카드에 적힌 6개의 숫자를 각각 제곱한 후 모두 더한 값보다 4만큼 작다.

IV. 연립방정식

3 융합형

어느 음악회는 1부와 2부로 이루어지며 9분짜리 곡과 4분짜리 곡을 섞어서 연주하고 1부와 2부 사이의 휴식 시간은 20분으로 하여 총 2시간 8분 만에 끝내기로 계획되었다. 그런데 사정이 생겨 9분짜리 곡과 4분짜리 곡의 수를 바꾸고, 1부와 2부 사이의 휴식 시간을 15분으로 하여 총 1시간 53분 만에 끝내기로 수정하였다. 처음 계획한 9분짜리 곡은 모두 몇 곡이었는지 구하시오.

(단, 곡과 곡 사이에는 1분의 여유 시간이 있다.)

풀이

4 창의력

세 학생 A, B, C가 36개의 사탕을 다음 단계에 따라 나누어 가졌을 때, 세 학생 A, B, C가 갖게 된 사탕의 개수는 각각 14개, 12개, 10개이었다. 이때 $p+2q$의 값을 구하시오.

[1단계] 학생 A가 사탕 p개를 가져와 $\frac{1}{2}p$개는 자신이 가지고, 나머지 사탕은 두 학생 B, C에게 똑같은 개수로 나누어 준다.

[2단계] 학생 B는 학생 A가 가져가고 남은 사탕 중에서 q개를 가져와 $\frac{1}{3}q$개는 자신이 가지고, 나머지 사탕은 두 학생 A, C에게 똑같은 개수로 나누어 준다.

[3단계] 학생 C는 두 학생 A, B가 가져가고 남은 사탕 r개를 가져와 $\frac{1}{4}r$개는 자신이 가지고, 나머지 사탕은 두 학생 A, B에게 똑같은 개수로 나누어 준다.

풀이

5

3 km 떨어진 두 지점 A, B에서 은수와 지용이가 마주 보고 출발한다. 은수는 A 지점을 출발하여 분속 120 m로 걷고, 은수가 출발한지 10분 후 지용이가 B 지점을 출발하여 시속 9 km로 걸어서 두 지점 A, B 사이를 계속 왕복할 때, 은수가 출발한 후 지용이와 3번째 만나는 데 걸리는 시간은 몇 분인지 구하시오.

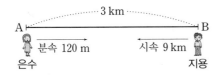

풀이

6 융합형

세 컵 A, B, C에 각각 농도가 10 %, x %, y %인 소금물이 100 g씩 들어 있다. 세 컵에서 각각 소금물을 30 g씩 덜어 내어 컵 A의 소금물은 컵 B에, 컵 B의 소금물은 컵 C에, 컵 C의 소금물은 컵 A에 넣고 섞었다. 이 과정을 한 번 더 시행했더니 컵 A에 들어 있는 소금의 양은 7.72 g, 컵 B에 들어 있는 소금의 양은 8.57 g이 되었다. 이때 두 번째 시행 후 컵 C에 들어 있는 소금의 양을 구하시오.

풀이

7 [서술형]

다음 그림과 같이 직선 도로 위에 세 지점 A, B, C가 있고 지윤이는 A 지점, 세준이는 B 지점에 서 있다.

지윤이가 A 지점에서 출발하여 B 지점을 거쳐 C 지점을 향하여 움직인다. 지윤이가 B 지점에 도착하였을 때, 세준이가 B 지점에서 출발하여 지윤이와 세준이가 동시에 C 지점에 도착하였다. 지윤이와 세준이가 같은 속력으로 움직였을 때, 다음은 지윤이와 세준이의 이동 거리에 대한 설명이다.

> (가) 지윤이가 A 지점에서 출발한 후 a만큼 이동하였을 때, 세준이가 이동한 거리는 A 지점에서 C 지점까지의 거리의 $\frac{1}{2}$이다.
>
> (나) 세준이가 B 지점에서 출발한 후 a만큼 이동하였을 때, 지윤이가 이동한 거리는 B 지점에서 C 지점까지의 거리와 같다.

지윤이와 세준이가 이동한 거리의 총합이 66일 때, a의 값을 구하시오. (단, A 지점과 B 지점 사이의 거리는 a보다 작고, 직선 도로의 폭은 무시한다.)

풀이

V

일차함수

01 일차함수와 그래프

❶ 함수와 함숫값

(1) **함수** 두 변수 x, y에 대하여 x의 값이 변함에 따라 y의 값이 하나씩 정해지는 대응 관계에 있을 때, y를 x의 함수라 한다.

➡ $y=f(x)$

(2) **함숫값** 함수 $y=f(x)$에서 x의 값이 정해지면 그에 따라 정해지는 y의 값, 즉 $f(x)$를 함숫값이라 한다.

> 참고 정비례 관계, 반비례 관계도 함수이다.

> 개념⁺
>
> x의 값이 하나 정해질 때, y의 값이 정해지지 않거나 y의 값이 2개 이상 정해지면 함수가 아니다.

❷ 일차함수의 뜻과 그래프

(1) **일차함수** 함수 $y=f(x)$에서 y가 x에 대한 일차식으로 나타내어질 때, 이 함수를 x에 대한 일차함수라 한다.

$$y=ax+b \ (a, b는 \ 상수, \ a \neq 0)$$

(2) **일차함수 $y=ax+b$의 그래프** 일차함수 $y=ax+b \ (b \neq 0)$의 그래프는 일차함수 $y=ax$의 그래프를 y축의 방향으로 b만큼 평행이동한 직선이다.

    ↪ 한 도형을 일정한 방향으로 일정한 거리만큼 옮기는 것

$$y=ax \xrightarrow[b만큼 \ 평행이동]{y축의 \ 방향으로} y=ax+b$$

> 개념⁺
>
> 일차함수 $y=ax$의 그래프를 y축의 방향으로 b만큼 평행이동할 때,
> ① $b>0$이면 y축의 양의 방향으로 $|b|$만큼 평행이동
> ② $b<0$이면 y축의 음의 방향으로 $|b|$만큼 평행이동

❸ 일차함수의 그래프의 x절편, y절편, 기울기

(1) **x절편** 일차함수의 그래프가 x축과 만나는 점의 x좌표

➡ $y=0$일 때 x의 값

(2) **y절편** 일차함수의 그래프가 y축과 만나는 점의 y좌표

➡ $x=0$일 때 y의 값

［확인 ❶］

다음 중에서 y가 x의 함수인 것에는 ○표, 함수가 아닌 것에는 ×표를 하시오.

(1) 자연수 x의 약수 y (   )

(2) 자연수 x의 배수 y (   )

(3) 자연수 x의 약수의 개수 y개

                  (   )

［확인 ❷］

다음 중 y가 x에 대한 일차함수가 <u>아닌</u> 것을 모두 고르면?

① x각형의 대각선의 총 개수 y개

② 페인트 1통을 모두 사용하면 넓이가 $3 \ m^2$인 벽면을 빈틈없이 칠할 수 있을 때, 넓이가 $x \ m^2$인 벽면을 칠하는 데 필요한 페인트의 양 y통

③ 용량이 $500 \ mL$인 포도당 수액이 시간당 $40 \ mL$의 속력으로 일정하게 흘러나올 때, x시간 후에 남은 수액의 양 $y \ mL$

④ 농도가 $x \ \%$인 소금물 $300 \ g$에 들어 있는 소금의 양 $y \ g$

⑤ 반지름의 길이가 $x \ cm$인 원의 넓이 $y \ cm^2$

［확인 ❸］

일차함수 $y=-\dfrac{1}{5}x-1$에서 x의 값이 -5에서 -3까지 증가할 때, y의 값의 증가량을 구하시오.

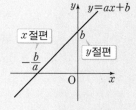

(3) **기울기** 일차함수 $y=ax+b$의 그래프에서 x의 값의 증가량에 대한 y의 값의 증가량의 비율

$$(기울기)=\frac{(y의\ 값의\ 증가량)}{(x의\ 값의\ 증가량)}=a$$

한 직선 위의 세 점 중 서로 다른 두 점을 지나는 직선의 기울기는 항상 같다.

➡ 세 점 A, B, C가 한 직선 위에 있을 때,
   ($\overleftrightarrow{AB}$의 기울기)=($\overleftrightarrow{BC}$의 기울기)=($\overleftrightarrow{AC}$의 기울기)

❹ 일차함수의 그래프의 성질

일차함수 $y=ax+b$의 그래프에서

(1) a의 부호 그래프의 모양 결정

　① $a>0$일 때, x의 값이 증가하면 y의 값도 증가한다.
　　➡ 오른쪽 위로 향하는 직선
　② $a<0$일 때, x의 값이 증가하면 y의 값은 감소한다.
　　➡ 오른쪽 아래로 향하는 직선

　참고 $|a|$가 클수록 y축에 가까워진다.

(2) b의 부호 y축과 만나는 부분 결정

　① $b>0$일 때, y축과 양의 부분에서 만난다.
　　➡ y절편이 양수
　② $b<0$일 때, y축과 음의 부분에서 만난다.
　　➡ y절편이 음수

(3) 일차함수 $y=ax+b$의 그래프의 모양

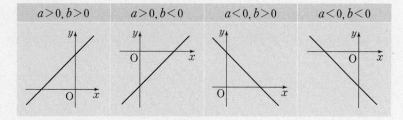

$a>0, b>0$	$a>0, b<0$	$a<0, b>0$	$a<0, b<0$

❺ 일차함수의 그래프의 평행과 일치

두 일차함수 $y=ax+b$, $y=cx+d$에서

(1) 두 일차함수의 그래프가 평행하다.
　➡ 기울기가 같고, y절편이 다르다.
　➡ $a=c, b\neq d$

(2) 두 일차함수의 그래프가 일치한다.
　➡ 기울기가 같고, y절편도 같다.
　➡ $a=c, b=d$

서로 수직인 두 일차함수의 그래프의 기울기의 곱은 -1이다.

［확인 ❹］

다음 중 일차함수 $y=-\dfrac{4}{3}x+1$의 그래프에 대한 설명으로 옳지 **않은** 것은?

① 점 $(3, -3)$을 지난다.

② x절편은 $\dfrac{3}{4}$이고, y절편은 1이다.

③ 제 1, 2, 4 사분면을 지나는 직선이다.

④ $y=-\dfrac{4}{3}x-10$의 그래프와 서로 평행하다.

⑤ x의 값이 증가할 때, y의 값도 증가한다.

［확인 ❺］

점 $(1, 4)$를 지나는 일차함수 $y=ax+3$의 그래프를 y축의 방향으로 b만큼 평행이동하였더니 일차함수 $y=cx-4$의 그래프와 일치하였다. 이때 $a+b+c$의 값을 구하시오.
(단, a, c는 상수)

기출 문제로 개념 확인하기

다음 물음에 답하시오.

1 다음 중 y가 x의 함수인 것은 ○표, 함수가 아닌 것은 ×표를 하시오.

(1) 매분 x m의 속력으로 20분 동안 간 거리 y m　　　　　　　(　　)

(2) 자연수 x와 서로소인 수 y　　　　　　　　　　　　　(　　)

(3) 키가 x cm인 사람의 몸무게 y kg　　　　　　　　　　(　　)

(4) 넓이가 8 cm^{2}인 삼각형의 밑변의 길이 x cm와 높이 y cm　(　　)

2 다음 문장에서 알맞은 것을 골라 ◯를 하시오.

(1) 일차함수 $y=-\dfrac{2}{3}x+1$의 그래프에서 x절편은 $\left(-\dfrac{3}{2},\ \dfrac{3}{2}\right)$이다.

(2) 일차함수 $y=ax+b$에서 $a<0$이고 $b=0$이면 그래프는 제(1, 2, 3, 4)사분면을 지난다.

(3) 일차함수의 식을 만족하는 서로 다른 두 점의 좌표를 알면 그 일차함수의 그래프는 항상 그릴 수 (있다 , 없다).

> 서로 다른 두 점을 지나는 직선은 하나뿐이다.

(4) 일차함수 $y=ax-b$의 그래프가 제 1, 2, 4 사분면을 지나면 일차함수 $y=bx+a$의 그래프는 제(1, 2, 3, 4)사분면을 지난다.

> 일차함수 $y=ax-b$의 그래프가 제 1, 2, 4사분면을 지나면 $a<0$, $-b>0$이다.

3 다음 ☐ 안에 알맞은 것을 보기에서 골라 써넣으시오.

(1) 일차함수 $y=ax+b$의 그래프에서 기울기는 a, x절편은 ☐, y절편은 ☐이다.

(2) 일차함수 $y=-ax+b$의 그래프에서 $a<0$이면 오른쪽 ☐로 향하는 직선이고, $a>0$이면 오른쪽 ☐로 향하는 직선이다.

┤ 보기 ├
$$위,\ 아래,\ b,\ -b,\ \dfrac{b}{a},\ -\dfrac{b}{a}$$

기울기에 대한 여러 가지 문제

다음 물음에 답하시오.

4-1 세 점 $(2, -3)$, $(-2, a)$, $(3, b)$가 일직선 위에 있을 때, a를 b의 식으로 나타내시오.

4-2 두 점 $(1, 2)$, $(5, k)$를 지나는 직선 위에 점 $(2, 3)$이 있을 때, k의 값을 구하시오.

5-1 일차함수 $y=f(x)$에 대하여 $y=mx+n$일 때, $\dfrac{f(2b)-f(3a)}{3a-2b}=6$이고 그래프는 점 $(2, -3)$을 지난다고 한다. 이때 $m-n$의 값을 구하시오.
(단, m, n은 상수)

5-2 일차함수 $y=f(x)$가 다음을 만족할 때, $f(50)-f(1)$의 값을 구하시오.

$$\frac{f(50)-f(1)}{49}+\frac{f(49)-f(2)}{47}$$
$$+\cdots+\frac{f(26)-f(25)}{1}=50$$

6-1 오른쪽 그림에서 두 직선 m, n의 교점을 $P(x_1, y_1)$이라 하고 두 직선 l, m의 교점을 $Q(x_2, y_2)$라 하자. 다음 보기 중 옳은 것을 모두 고르시오.

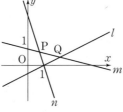

┤보기├
㉠ 직선 l의 기울기는 양수이다.
㉡ 직선 m의 기울기의 절댓값은 1보다 크다.
㉢ $\dfrac{y_1}{x_1-1} < \dfrac{y_2-1}{x_2}$

6-2 오른쪽 그림과 같이 $\angle B=90°$인 직각삼각형 ABC의 내부의 한 점 P에서 $\overline{AB}$, $\overline{BC}$에 내린 수선의 발을 각각 D, E라 하자. $\overline{AD}=a$, $\overline{PD}=b$, $\overline{PE}=c$, $\overline{CE}=d$라 할 때, 다음 보기 중 옳은 것을 모두 고르시오.

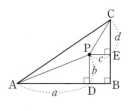

┤보기├
㉠ $\dfrac{b}{a} > \dfrac{d}{c}$ ㉡ $\dfrac{b}{a} < \dfrac{b+d}{a+c}$ ㉢ $\dfrac{b+d}{a+c} < \dfrac{d}{c}$

상위권의 눈

▶ 일차함수 $y=ax+b$의 그래프에서
① $a>0$이면 오른쪽 위로 향하는 직선
② $a<0$이면 오른쪽 아래로 향하는 직선
이때 음수끼리는 절댓값이 큰 값이 작다는 것에 주의한다.

일차함수의 그래프의 성질

다음 물음에 답하시오.

7-1 일차함수 $y=-ax+b$의 그 래프가 오른쪽 그림과 같을 때, 다음 중 일차함수 $y=-bx+a$의 그래프로 알 맞은 것은?

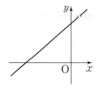

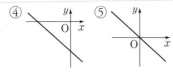

7-2 일차함수 $y=-ax+b$의 그 래프가 오른쪽 그림과 같을 때, 일차함수 $y=\dfrac{a}{b}x+\dfrac{1}{b}$의 그래프가 지나지 않는 사분 면을 구하시오.

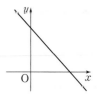

8-1 일차함수 $y=ax+b+1$의 그래프가 오른쪽 그림과 같 을 때, 다음 중 옳은 것은?

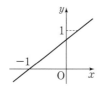

① $a>0, b>0$
② $a<0, b<0$　　③ $-a+b+1<0$
④ $a-b-1>0$　　⑤ $2a+b>-1$

8-2 일차함수 $y=-ax+b+1$ 의 그래프가 오른쪽 그림과 같을 때, 다음 중 옳은 것은?

① $a>0, b>0$
② $a<0, b<0$　　③ $-a+b+1<0$
④ $a-b-1=0$　　⑤ $a+b+1=0$

상위권의 눈

▶ 일차함수 $y=ax+b$의 그래프에서
① $a>0$이면 오른쪽 위로 향하는 직선
② $a<0$이면 오른쪽 아래로 향하는 직선
③ $b>0$이면 y절편이 양수
④ $b<0$이면 y절편이 음수

함수와 함숫값

01

다음 보기 중 y가 x의 함수인 것을 모두 고르시오.

┤ 보기 ├
ㄱ y는 자연수 x보다 작은 소수이다.
ㄴ y는 자연수 x의 모든 약수의 합이다.
ㄷ y는 절댓값이 x인 수이다.
ㄹ x분은 y초이다.
ㅁ 한 모서리의 길이가 x cm인 정육면체의 겉넓이는 y cm²이다.
ㅂ 농도가 x %의 소금물 200 g에 들어 있는 소금의 양은 y g이다.

02

함수 $f(x) = (x$를 4로 나눈 나머지)에 대하여 $f(35) + f(36) + f(37)$의 값을 구하시오.

03

함수 $f(x) = ax + 2 - x + a$에 대하여 $f(2) = 6$일 때, $f(0) = 2f(k)$를 만족하는 k의 값을 구하시오.

(단, a는 상수)

04

함수 $f(x) = -\dfrac{1}{3}x$에 대하여 $f(1) = -f(a+b)$일 때, $f(a) + f(b)$의 값을 구하시오.

05

함수 $f\left(\dfrac{3x+2}{x-1}\right) = -3x + 1$일 때, $f(1)$의 값을 구하시오. (단, $x \neq 1$)

일차함수의 그래프

06

일차함수 $y=f(x)$에 대하여 $f(x)=ax+b$가 $1 \leq f(-2) \leq 6$, $-4 \leq f(3) \leq 7$을 만족한다. 일차함수 $y=f(x)$의 그래프의 기울기가 최소가 되도록 하는 ab의 값을 구하시오. (단, a, b는 상수)

07

오른쪽 그림과 같이 일차함수 $y=ax+3$의 그래프 위의 한 점 A에서 x축에 내린 수선의 발을 B라 하고 $\overline{AB}$와 일차함수 $y=bx+3$의 그래프가 만나는 점을 C라 하자.

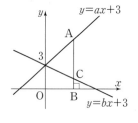

$\frac{3}{4}\overline{AC}=\overline{OB}$일 때, $a-b$의 값을 구하시오.

(단, a, b는 상수이고 점 A는 제1사분면 위의 점이다.)

일차함수의 그래프의 성질

08

일차함수 $y=\dfrac{b}{a}x+\dfrac{b}{c}$의 그래프가 오른쪽 그림과 같을 때, 다음 중 일차함수 $y=-\dfrac{a}{b}x+\dfrac{c}{a}$의 그래프에 대한 설명으로 옳지 <u>않은</u> 것은?

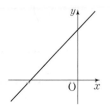

① 제3사분면을 지나지 않는다.
② x절편은 양수이다.
③ 그래프는 오른쪽 아래로 향하는 직선이다.
④ a의 절댓값과 b의 절댓값이 같으면 기울기는 -1이다.
⑤ a의 절댓값과 c의 절댓값이 같으면 y절편은 -1이다.

09

오른쪽 그림은 두 일차함수 $y=ax+b$, $y=cx+d$의 그래프이다. 다음 보기 중 옳은 것을 모두 고르시오.

(단, a, b, c, d는 상수)

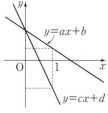

┤ 보기 ├
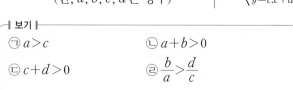
ㄱ. $a>c$ ㄴ. $a+b>0$
ㄷ. $c+d>0$ ㄹ. $\dfrac{b}{a}>\dfrac{d}{c}$

일차함수의 그래프가 선분과 만날 조건

10

일차함수 $y=2x+k$의 그래프가 두 점 A$(1, 2)$, B$(3, 3)$을 이은 선분 AB와 만날 때, 상수 k의 값의 범위를 구하시오.

11

일차함수 $y=ax-1$의 그래프가 두 점 A$(3, 4)$, B$(5, 0)$을 이은 선분 AB와 만나도록 하는 상수 a의 값의 최댓값을 M, 최솟값을 m이라 하자. 이때 Mm의 값을 구하시오.

12

일차함수 $y=ax+b$의 그래프가 두 점 A$(3, 4)$, B$(3, 2)$를 이은 선분 AB와 두 점 C$(-2, -3)$, D$(-1, -3)$을 이은 선분 CD와 모두 만날 때, a의 값의 최댓값을 M, 최솟값을 m이라 하자. 이때 $4M+5m$의 값을 구하시오.
(단, a, b는 상수)

일차함수의 그래프의 평행과 일치

13

두 일차함수 $y=2x-6$, $y=ax+b$의 그래프가 평행하고 두 그래프가 x축과 만나는 점을 각각 A, B라 할 때, $\overline{\text{AB}}=2$이다. 이때 $a+b$의 값을 모두 구하시오.
(단, a, b는 상수)

V. 일차함수

14

일차함수 $y=ax+3-a$의 그래프가 a의 값에 관계없이 항상 지나는 점을 P라 하자. 이때 일차함수 $y=bx+c$의 그래프는 일차함수 $y=-2x-1$의 그래프와 평행하고 점 P를 지날 때, $b-c$의 값을 구하시오.

(단, a, b, c는 상수)

15

세 점 $A(-3, 2)$, $B(-4, a)$, $C(-1, b)$는 일직선 위에 있고, 이 직선은 일차함수 $f(x)=mx+n$의 그래프와 일치한다고 한다. $f(1)=-4$일 때, $2a+b+m-n$의 값을 구하시오. (단, m, n은 상수)

일차함수의 그래프와 도형의 넓이

16

오른쪽 그림과 같이 일차함수 $y=-x+20$의 그래프가 x축, y축과 만나는 점을 각각 A, B라 히지. $\overline{AB}$ 위의 한 점 P에서 x축에 내린 수선의 발을 Q라 할 때, $\triangle OPB=4\triangle OQP$이다. 이때 점 P의 x좌표를 구하시오.

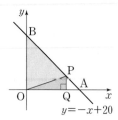

17

두 일차함수 $y=ax+b$, $y=-bx-a$의 그래프가 점 $(k, 4)$에서 만나고 두 일차함수의 그래프와 y축으로 둘러싸인 부분의 넓이가 4이다. 이때 두 일차함수의 그래프와 x축으로 둘러싸인 부분의 넓이를 구하시오.

(단, a, b는 상수이고 $0 < a < b$)

1

함수 $f(x)$가 다음 조건을 모두 만족할 때, $f(135)$의 값을 구하시오.

> ㉠ $f(3x)=f(x)$
> ㉡ $f(2x-1)=x$ (단, x는 자연수)

풀이

2

일차함수 $y=f(x)$에 대하여 $f(m)+m=f(n)+n$, $f(-2)+f(2)=12$일 때, $f(-4)$의 값을 구하시오. (단, $m \neq n$)

풀이

3 서술형

오른쪽 그림에서 점 A는 일차함수 $y=\dfrac{2}{3}x$의 그래프 위의 점이고 점 D는 일차함수 $y=-x+14$의 그래프 위의 점이다. 사각형 ABCD가 정사각형일 때, 점 B의 좌표를 구하시오.

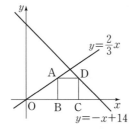

풀이

4 창의력

다음 보기의 세 일차함수의 그래프가 오른쪽 그림과 같을 때, 그래프와 일차함수의 식을 바르게 짝 지으시오.

(단, a, b는 0이 아닌 상수)

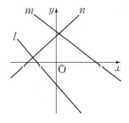

| 보기 |

$\bigcirc\ y = -ax + \dfrac{3}{b}$

$\bigcirc\ y = \dfrac{x}{a} + a - b$

$\bigcirc\ y = 2ax + b$

풀이

5

오른쪽 그림과 같이 두 일차함수 $y = x + 3$, $y = ax + b$의 그래프가 제1사분면 위의 점 P에서 만난다. 일차함수 $y = x + 3$의 그래프가 x축, y축과 만나는 점을 각각 A, B라 하고 일차함수 $y = ax + b$의 그래프가 y축과 만나는 점을 C라 하자. $\triangle PAO = 2\triangle AOB$, $\triangle PBC = 3\triangle AOB$일 때, 상수 a, b의 값을 각각 구하시오. (단, $a > 0$)

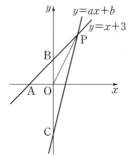

풀이

6

오른쪽 그림과 같이 일차함수 $y=-\dfrac{4}{3}x+4$의 그래프가 x축, y축과 만나는 점을 각각 A, B라 하자. 일차함수 $y=ax+2$의 그래프가 y축과 만나는 점을 C, 일차함수 $y=-\dfrac{4}{3}x+4$의 그래프와 제1사분면에서 만나는 점을 D라 하자. $\triangle$BCD의 넓이와 사각형 COAD의 넓이의 비가 $1:2$일 때, 상수 a의 값을 구하시오.

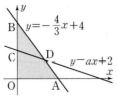

풀이

7 융합형

오른쪽 그림과 같이 5개의 점 A$(1, 4)$, B$(-2, 2)$, C$(-1, 0)$, D$(3, 0)$, E$(3, 3)$을 꼭짓점으로 하는 오각형 ABCDE의 넓이를 점 B를 지나는 직선이 이등분할 때, 이 직선의 기울기를 구하시오.

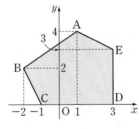

풀이

02 일차함수와 일차방정식

❶ 일차함수의 식 구하기

(1) 기울기가 a이고 y절편이 b인 직선을 그래프로 하는 일차함수의 식
   ➡ $y=ax+b$

(2) 기울기가 a이고 점 (x_1, y_1)을 지나는 직선을 그래프로 하는 일차함수의 식 ➡ $y=ax+b$로 놓고 $x=x_1, y=y_1$을 대입하여 b의 값을 구한다.

(3) 서로 다른 두 점 $(x_1, y_1), (x_2, y_2)$를 지나는 직선을 그래프로 하는 일차함수의 식
   ① 서로 다른 두 점을 지나는 직선의 기울기 a를 구한다.
   ➡ $a=\dfrac{y_2-y_1}{x_2-x_1}=\dfrac{y_1-y_2}{x_1-x_2}$
   ② $y=ax+b$로 놓고 두 점 중 한 점의 좌표를 대입하여 b의 값을 구한다.

(4) x절편이 m, y절편이 n인 직선을 그래프로 하는 일차함수의 식
   ➡ 두 점 $(m, 0), (0, n)$을 지나므로 $y=-\dfrac{n}{m}x+n$ (단, $m \neq 0$)

❷ 일차함수의 활용

(1) 문제의 뜻을 파악하여 변수 x, y를 정한다.
(2) x와 y 사이의 관계를 일차함수 $y=ax+b$로 나타낸다.
(3) 함숫값 또는 그래프를 이용하여 구하는 값을 찾는다.
(4) 구한 값이 문제의 뜻에 맞는지 확인한다.

❸ 일차함수와 일차방정식

(1) 일차함수와 일차방정식의 관계

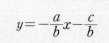

$ax+by+c=0$
$(a \neq 0, b \neq 0)$
일차함수 ⟵ ⟶ 일차방정식
$y=-\dfrac{a}{b}x-\dfrac{c}{b}$

(2) 방정식 $x=p$, $y=q$의 그래프 (단, $p \neq 0, q \neq 0$)
   ① 방정식 $x=p (p \neq 0)$의 그래프
      점 $(p, 0)$을 지나고 y축에 평행한(x축에 수직인) 직선
   ② 방정식 $y=q (q \neq 0)$의 그래프
      점 $(0, q)$를 지나고 x축에 평행한(y축에 수직인) 직선

(3) 직선의 방정식   미지수 x, y의 값의 범위가 수 전체일 때, 일차방정식 $ax+by+c=0 (a, b, c$는 상수, $a \neq 0$ 또는 $b \neq 0$)을 직선의 방정식이라 한다.

   참고 일차함수의 식은 직선의 방정식으로 부를 수 있지만 직선의 방정식이 모두 일차함수의 식이 되는 것은 아니다.

[확인 ❶]
다음 그림에서 그래프 ㉠~㉢을 나타내는 일차함수의 식을 각각 구하시오.

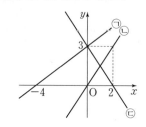

[확인 ❷]
200 L의 물이 들어 있는 물통에서 3분마다 15 L씩 물이 흘러나온다. 물이 흘러나오기 시작한 지 x분 후에 물통에 남아 있는 물의 양을 y L라 할 때, x와 y 사이의 관계식을 구하시오.

[확인 ❸]
다음 보기 중 일차방정식 $3x-y-6=0$에 대한 설명으로 옳은 것을 모두 고르시오.

┌ 보기 ┐
㉠ 제2사분면을 지나지 않는다.
㉡ x절편과 y절편의 합은 4이다.
㉢ 일차함수 $y=-3x+1$의 그래프와 서로 평행하다.
㉣ x의 값이 2만큼 증가할 때, y의 값은 6만큼 증가한다.

④ 연립방정식의 해와 그래프

연립방정식 $\begin{cases} ax+by+c=0 \\ a'x+b'y+c'=0 \end{cases}$ 의 해는 두 일차방정식 $ax+by+c=0$, $a'x+b'y+c'=0$의 그래프의 교점의 좌표와 같다.

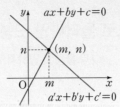

```
연립방정식의 해            두 일차방정식의 그래프의
x=m, y=n        ⟷        교점의 좌표 (m, n)
```

【확인 ④】
다음 그림은 연립방정식 $\begin{cases} x+2y=4 \\ ax+y=-1 \end{cases}$ 의 해를 구하기 위하여 두 일차방정식의 그래프를 그린 것이다. 이때 상수 a의 값을 구하시오.

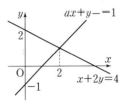

⑤ 연립방정식의 해의 개수와 두 그래프의 위치 관계

연립방정식 $\begin{cases} ax+by+c=0 \\ a'x+b'y+c'=0 \end{cases}$ 의 해의 개수는 두 일차방정식 $ax+by+c=0$, $a'x+b'y+c'=0$의 그래프의 교점의 개수와 같다.

두 일차방정식의 그래프의 위치 관계	한 점에서 만난다.	평행하다.	일치한다.
그래프의 모양			
두 그래프의 교점의 개수	한 개	없다.	무수히 많다.
연립방정식의 해의 개수	한 쌍의 해	해가 없다.	해가 무수히 많다.
기울기와 y절편	기울기가 다르다.	기울기는 같고 y절편은 다르다.	기울기와 y절편이 각각 같다.

개념⁺

연립방정식 $\begin{cases} ax+by+c=0 \\ a'x+b'y+c'=0 \end{cases}$ 에서

① 한 점에서 만난다. ➡ 한 쌍의 해를 갖는다.

$$\Rightarrow \frac{a}{a'} \neq \frac{b}{b'}$$

② 평행하다. ➡ 해가 없다.

$$\Rightarrow \frac{a}{a'} = \frac{b}{b'} \neq \frac{c}{c'}$$

③ 일치한다. ➡ 해가 무수히 많다.

$$\Rightarrow \frac{a}{a'} = \frac{b}{b'} = \frac{c}{c'}$$

【확인 ⑤】
다음 두 직선의 교점이 2개 이상이기 위한 상수 k의 값을 구하시오.

$$\left(단, k \neq 3, k \neq \frac{5}{2} \right)$$

$$(3-k)x+2y=0$$
$$(2k-5)x-3y=0$$

직선으로 둘러싸인 도형의 넓이 (1)

다음 물음에 답하시오.

1-1 세 지선 $2x-y+2=0$, $x-2=0$, $y+2=0$으로 둘러싸인 도형의 넓이를 구하시오.

1-2 두 일차방정식 $x-y=4$, $3x+2y=2$의 그래프와 y축으로 둘러싸인 도형의 넓이를 구하시오.

2-1 다음 네 직선으로 둘러싸인 도형의 넓이가 20일 때, 양수 k의 값을 구하시오.

$$x+3=0, \quad y+k=0, \quad 2x-4=0, \quad y=3k$$

2-2 다음 직선과 x축으로 둘러싸인 도형의 넓이가 14일 때, 상수 a의 값을 구하시오. (단, $0<a<3$)

$$ax-3+y=0, \quad x=-3, \quad x=1$$

3-1 다음 네 직선으로 둘러싸인 도형의 넓이가 18일 때, 상수 k의 값을 모두 구하시오.

$$x+2=0, \quad x=4, \quad y=6k, \quad y-3k=0$$

3-2 다음 네 직선으로 둘러싸인 도형의 넓이가 10일 때, 상수 m의 값은 a 또는 b이다. 이때 a^2+b^2의 값을 구하시오. (단, $a>b$)

$$x+1=0, \quad x=m, \quad y-3=0, \quad 2y+4=0$$

상위권의 눈

▶ 세 개 이상의 직선으로 둘러싸인 도형의 넓이를 구할 때에는 연립방정식을 이용하여 직선의 교점의 좌표를 찾는다.

▶ 문제의 조건에 따라 구하는 답이 여러 개 나올 수 있으므로 주의한다.

[직선으로 둘러싸인 도형의 넓이(2)]

다음 물음에 답하시오.

4-1 오른쪽 그림과 같이 일차 방정식 $2x+3y-12=0$의 그래프가 x축, y축과 만나는 점을 각각 A, B라 하자. 직선 $y=ax$가 △OAB의 넓이를 이등분할 때, 상수 a의 값을 구하시오.

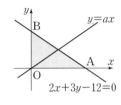

4-2 오른쪽 그림과 같이 일차 방정식 $3x-4y-24=0$의 그래프가 x축, y축과 만나는 점을 각각 A, B라 하자. 직선 $y=ax$가 △OBA의 넓이를 이등분할 때, 상수 a의 값을 구하시오.

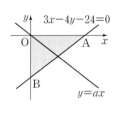

5-1 오른쪽 그림과 같이 일차방정식 $x-y+4=0$의 그래프가 x축, y축과 만나는 점을 각각 A, B라 하고 일차방정식 $x+y-k=0$의 그래프가 y축과 만나는 점을 C라 하자. 두 일차방정식의 그래프가 점 D에서 만나고 △AOB의 넓이와 △CBD의 넓이가 같을 때, $(k-4)^2$의 값을 구하시오. (단, k는 양수)

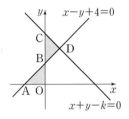

5-2 오른쪽 그림과 같이 일차방정식 $ax-y+b=0$의 그래프가 x축, y축과 만나는 점을 각각 A, B라 하고 직선 $y=2x$와 만나는 점을 C라 하자. △AOB와 △CBO의 넓이의 비가 3 : 1일 때, a의 값을 구하시오. (단, a, b는 양수)

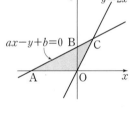

상위권의 눈

▶ 주어진 일차방정식의 그래프와 직선 $y=ax$가 만나는 점의 좌표를 구한다.

▶ 주어진 삼각형의 넓이를 미지수를 사용하여 나타낸다.

Ⅴ. 일차함수

[**세 직선의 위치 관계**]

다음 물음에 답하시오.

6-1 세 일차방정식 $x-y+3=0$, $3x+y+5=0$, $2ax-4y-a=0$의 그래프가 한 점에서 만날 때, 상수 a의 값을 구하시오.

6-2 세 일차방정식 $3x+4y=7$, $3x-2y=1$, $ax-2y=3$의 그래프가 한 점에서 만날 때, 상수 a의 값을 구하시오.

7-1 다음 세 직선이 삼각형을 이루지 않도록 하는 상수 a의 값을 구하시오.

$$x-y=0, \quad x+y-4=0, \quad 10x-7y-a=0$$

7-2 다음 세 일차방정식의 그래프가 삼각형을 이루지 않도록 하는 상수 a의 값을 구하시오.

$$2x-3y=-12, \quad 2x+y=12, \quad x-y=a$$

8-1 다음 세 직선이 삼각형을 이루지 않도록 하는 모든 상수 a의 값의 곱을 구하시오.

$$x+y=3, \quad 4x-y=2, \quad ax-y=-5$$

8-2 다음 세 직선이 삼각형을 이루지 않도록 하는 모든 상수 a의 값의 곱을 구하시오.

$$x-y=1, \quad 3x+y=0, \quad 4ax-8y+a=0$$

상위권의 눈

▶ 세 직선이 삼각형을 이루지 않는 경우
  ① 세 직선이 한 점에서 만난다. ➡ 두 직선의 교점을 나머지 한 직선이 지난다.
  ② 두 직선이 평행하다. ➡ 어느 두 직선의 기울기가 같다.
  ③ 세 직선이 평행하다. ➡ 세 직선의 기울기가 같다.

일차함수의 식 구하기

01

다음 중 두 점 $(-1, 10)$, $(2, -2)$를 지나는 직선과 y축 위에서 만나는 그래프를 나타내는 일차함수의 식은?

① $y = -4x + 1$
② $y = -2x + 3$
③ $y = -x + \dfrac{3}{2}$
④ $y = 2x - 6$
⑤ $y = 3x + 6$

02

두 점 $(-k, 6k-5)$, $(-2k+2, 3k+1)$을 지나는 직선과 평행하고 점 $(3, 2)$를 지나는 그래프를 나타내는 일차함수의 식을 구하시오.

03

일차방정식 $\dfrac{x}{2} + \dfrac{y}{3} = 1$의 그래프와 x축과의 교점을 P,

일차방정식 $\dfrac{x}{3} - \dfrac{y}{4} = 2$의 그래프와 y축과의 교점을 Q라

할 때, 두 점 P, Q를 지나는 그래프를 나타내는 일차함수의 식을 구하시오.

04

일차함수 $y = f(x)$에 대하여
$f(1+3h) - f(1-h) = -8h$이고 일차함수 $y = f(x)$의 그래프는 일차함수 $y = \dfrac{1}{4}x + 8$의 그래프와 y축 위에서 만난다. 이때 일차함수 $y = f(x)$의 그래프와 x축, y축으로 둘러싸인 도형의 넓이를 구하시오.

05

일차함수 $y=ax+2$의 그래프 위에 두 점 $A(3, 4)$, $B(k, 8)$이 있다. x축 위에 점 P를 잡아 $\overline{AP}+\overline{PB}$의 길이가 최소가 되게 하려고 할 때, 점 P의 좌표를 구하시오.

(단, a는 상수)

07

음악 파일을 내려받을 수 있는 인터넷 사이트가 있다. 이 사이트에서 한 달 동안 기본요금 6000원을 내면 100곡을 내려받을 수 있고, 100곡을 초과하는 경우 한 곡당 내려받는 요금은 500원이다. 한 달 요금으로 14000원을 냈을 때, 한 달 동안 내려받은 음악 파일은 몇 곡인지 구하시오.

일차함수의 활용

06

길이가 20 cm인 양초가 있다. 이 양초에 불을 붙였더니 6분 후에 양초의 길이가 12 cm가 되었다. 양초에 불을 붙인 지 x분 후에 남은 양초의 길이를 y cm라 할 때, 다음 설명 중 옳은 것을 모두 고르면?

① y는 x에 대한 일차함수이다.

② x와 y 사이의 관계를 그래프로 나타내면 오른쪽 위로 향하는 선분이다.

③ 양초가 모두 탈 때까지 걸리는 시간은 20분이다.

④ 양초에 불을 붙인 지 12분 후에 남은 양초의 길이는 10 cm이다.

⑤ x와 y 사이의 관계를 나타내는 그래프와 x축, y축으로 둘러싸인 도형의 넓이는 150이다.

08

다음 표는 기온의 변화에 따른 소리의 속력을 나타낸 것이다.

기온(℃)	0	5	10	15	20	25	⋯
소리의 속력 (m/초)	331	334	337	340	343	346	⋯

4134 m 떨어진 곳에서 번개가 친 지 12초 후에 천둥소리가 들렸다고 할 때, 기온은 몇 ℃인지 구하시오.

09

어떤 환자가 1분에 3 mL씩 들어가는 링거 주사를 맞고 있다. 주사를 1시간 동안 맞은 후 남아 있는 주사약의 양을 보았더니 450 mL였다. 주사를 다 맞은 시각이 오후 6시일 때, 주사를 맞기 시작한 시각을 구하시오.

일차함수와 일차방정식

10

일차방정식 $ax-by+1=0$의 그래프가 y축에 수직이고, 제3사분면과 제4사분면을 동시에 지나도록 하는 상수 a, b의 조건은?

① $a=0, b>0$ ② $a=0, b<0$
③ $a>0, b=0$ ④ $a>0, b<0$
⑤ $a<0, b=0$

연립방정식의 해와 그래프

11

두 일차방정식 $3x+y+a=0$, $x-2y+a-1=0$의 교점이 직선 $y=2x+5$ 위에 있을 때, 상수 a의 값과 교점의 좌표를 각각 구하시오.

12

오른쪽 그림과 같이 네 점 $O(0, 0)$, $A(-5, 0)$, $B(-5, -5)$, $C(-1, -6)$을 꼭짓점으로 하는 사각형 OABC의 두 대각선 AC, BO의 교점의 좌표를 구하시오.

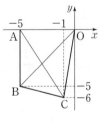

13

두 직선 $13x+11y=248$, $mx-y+10=0$이 만나는 점의 x좌표와 y좌표가 모두 자연수일 때, 자연수 m의 값을 구하시오.

15

연립방정식 $\begin{cases} ax+2y-4=0 \\ x-4y-b=0 \end{cases}$ 의 해가 무수히 많을 때, 다음 중 일차함수 $y=ax+b$의 그래프에 대한 설명으로 옳지 않은 것은? (단, a, b는 상수)

① 점 $(-4, -6)$을 지난다.
② x절편은 -16이다.
③ 제 1 사분면을 지나지 않는다.
④ x의 값이 증가할 때, y의 값은 감소한다.
⑤ 일차방정식 $x-2y+10=0$의 그래프와 평행하다.

연립방정식의 해의 개수와 두 그래프의 위치 관계

14

연립방정식 $\begin{cases} x+3y-5=0 \\ ax-6y-b=0 \end{cases}$ 의 해가 무수히 많을 때, 두 직선 $ax-y+b=0$, $kx+y-2=0$은 서로 평행하다. 이때 k의 값을 구하시오. (단, a, b, k는 상수)

16

두 직선 $2x-y-3=0$, $ax-y+b=0$의 교점이 없고 두 직선이 x축과 만나는 점을 각각 P, Q라 하자. $\overline{PQ}=9$일 때, b의 값을 모두 구하시오. (단, a, b는 상수)

직선으로 둘러싸인 도형

17

오른쪽 그림과 같이 세 직선 $ax+2y-8=0$, $x=2$, $x=4$ 와 x축으로 둘러싸인 도형의 넓이가 4일 때, 상수 a의 값을 구하시오.

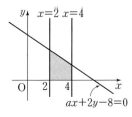

18

좌표평면 위의 두 점 $A(3, 5)$, $B(5, 3)$을 지나는 직선이 x축과 만나는 점을 C라 하자. 또 직선 $y=3x$와 만나는 점을 P라 하고 점 P에서 y축에 내린 수선의 발을 H라 할 때, 사각형 OCPH의 넓이를 구하시오. (단, 점 O는 원점)

19

오른쪽 그림과 같이 두 직선 $4x-y+8=0$, $x+y-3=0$ 이 x축과 만나는 점을 각각 A, B라 하고 두 직선의 교점을 P라 하자. 점 P를 지나면서 △PAB의 넓이를 이등분하는 직선의 방정식을 구하시오.

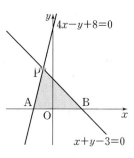

20

네 직선 $x=2$, $x=4$, $y=-2$, $y=5$로 둘러싸인 도형의 넓이를 일차함수 $y=ax$의 그래프가 이등분할 때, 상수 a의 값을 구하시오.

21

오른쪽 그림과 같이 네 점 A$(3, 10)$, B$(3, 2)$, C$(6, 2)$, D$(6, 10)$을 꼭짓점으로 하는 직사각형이 있다. 직선 $y=ax+2$가 $\overline{AB}$, $\overline{DC}$와 만나는 점을 각각 E, F라 하면 사각형 AEFD의 넓이와 사각형 EBCF의 넓이의 비가 $5:3$이다. 이때 상수 a의 값을 구하시오.

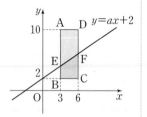

22

오른쪽 그림과 같이 원점을 지나는 직선 l이 원점 O와 점 A$(5, 0)$, B$(5, 1)$, C$(3, 1)$, D$(3, 3)$, E$(0, 3)$을 선분으로 이은 도형의 넓이를 이등분한다. 이때 직선 l의 방정식을 구하시오.

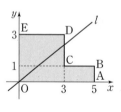

23

오른쪽 그림과 같이 네 직선 $y=-x+4$, $y=2x+1$, $x=0$, $y=0$으로 둘러싸인 도형을 y축을 축으로 하여 1회전시킬 때 만들어지는 입체도형의 부피를 구하시오.

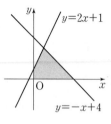

세 직선의 위치 관계

24

서로 다른 세 직선 $ax+y+1=0$, $x+by+3=0$, $2x+y+5=0$에 의하여 좌표평면이 4개의 부분으로 나누어질 때, $a+b$의 값을 구하시오. (단, a, b는 0이 아닌 상수이고 x축, y축에 의하여 좌표평면이 나누어지는 것은 생각하지 않는다.)

1 서술형

좌표평면 위에 세 점 O$(0, 0)$, A$(10, 0)$, B$(9, 6)$을 꼭짓점으로 하는 △OAB가 있다. 다음은 $\overline{OB}$ 위의 점 C$(6, 4)$를 지나는 직선 l이 △OAB의 넓이를 이등분할 때, 직선 l의 기울기를 구하는 과정이다. 보기를 이용하여 (1)~(3)에 알맞은 일차함수의 식과 수를 각각 구하시오.

풀이

오른쪽 그림과 같이 $\overline{OA}$의 중점을 M이라 하면 M$(5, 0)$이고 두 점 B, M을 지나는 직선은 △OAB의 넓이를 이등분한다.
점 B를 지나면서 직선 CM과 평행한 직선이 x축과 만나는 점을 N이라 하면 두 점 B, N을 지나는 직선을 그래프로 하는 일차함수의 식은 ☐ (1) ☐ 이고, 점 N의 좌표는 (☐ (2) ☐, 0)이다.

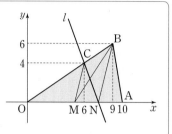

이때 직선 CM과 직선 BN이 평행하므로 △CMN과 △CMB의 넓이가 같고, 직선 l의 기울기는 두 점 C, N을 지나는 직선의 기울기와 같다.
따라서 직선 l의 기울기는 ☐ (3) ☐ 이다.

┤ 보기 ├
오른쪽 그림에서 두 직선 l, m이 평행할 때, △ABC와 △DBC는 밑변 BC가 공통이고 높이가 같으므로 두 삼각형의 넓이는 같다.
➡ △ABC=△DBC

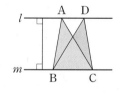

2

직선 l의 방정식을 $(2-k)x+(k+1)y+k+2=0$이라 할 때, 다음 보기 중 옳은 것을 모두 고르시오. (단, k는 유리수)

풀이

┤ 보기 ├
㉠ 직선 l이 y축에 평행하도록 하는 k의 값은 음수이다.
㉡ 직선 l의 기울기가 1이 되도록 하는 k의 값이 존재한다.
㉢ k의 값에 관계없이 직선 l이 항상 지나는 점은 제3사분면 위에 있다.

3

오른쪽 그림과 같이 좌표평면 위에 두 점 $A(6, 2)$, $B(3, 4)$가 있다. x축, y축 위에 각각 두 점 $P(a, 0)$, $Q(0, b)$를 잡아 $\overline{AP}+\overline{PQ}+\overline{QB}$의 길이가 최소가 되게 하려고 할 때, $a+b$의 값을 구하시오.

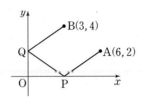

(풀이)

4

세 일차방정식 $x-y=0$, $3x-4y-1=0$, $2x-y-4=0$의 그래프가 직선 $y=k$와 만나는 점을 각각 A, B, C라 할 때, 왼쪽에서 오른쪽으로의 교점의 배열이 A, B, C가 되게 하려고 한다. 이때 상수 k의 값의 범위를 구하시오.

(풀이)

5 창의력

세 직선 $3x+2y+1=0$, $2x-6y+8=0$, $4x-y-6=0$으로 만들어지는 삼각형을 x축의 방향으로 a만큼, y축의 방향으로 b만큼 평행이동하면 세 직선 $6x+4y-8=0$, $x-3y+6=0$, $4x-y-c=0$으로 만들어지는 삼각형과 겹치게 된다. 이때 $a+b+c$의 값을 구하시오. (단, c는 상수)

풀이

6 융합형

물이 3 L 들어 있는 물통 A와 물이 12 L 들어 있는 물통 B에 각각 물을 채우려고 한다. 오른쪽 그림은 두 물통 A, B에 동시에 물을 채우기 시작한 지 x초 후 물의 양 y L를 그래프로 나타낸 것이다. 다음 물음에 답하시오.
       (단, 물은 60 L까지 채운다.)

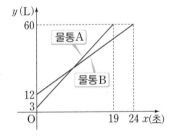

(1) 두 물통 A, B에 물을 채울 때, 1초 동안에 몇 L씩 채워지는지 각각 구하시오.

(2) 두 물통 A, B에 채워진 물의 양이 같아지는 것은 물을 채우기 시작한 지 몇 초 후인지 구하고, 그때의 물의 양을 구하시오.

풀이

MEMO

자신감은 위대한 과업의 첫째 요건이다.

사무엘 존슨(Samuel Johnson)

"할 수 있다, 할 수 있다, 할 수 있다."
2016년 리우데자네이루 올림픽 펜싱 경기에서
금메달을 딴 박상영 선수의 가장 큰 무기는 '자신감' 이었습니다.
할 수 있다는 믿음을 가지면
어떤 일이든 다 이루어 낼 수 있답니다.

1등급 비밀! TOP OF THE TOP

2-1
중 학 수 학

최강
TOT

정답과 풀이

천재교육

최강 TOT

정답과 풀이

중 2-1

I
유리수와 순환소수

01 유리수와 순환소수

［확인❶］ 답 ⑤

⑤ $a \div b = \dfrac{a}{b}$는 유리수이므로 순환하지 않는 무한소수가 될 수 없다.

［확인❷］ 답 7

$\dfrac{2}{27} = 0.\dot{0}7\dot{4}$이므로 순환마디의 숫자는 0, 7, 4의 3개이다.

이때 $50 = 3 \times 16 + 2$이므로 소수점 아래 50번째 자리의 숫자는 순환마디의 2번째 숫자인 7이다.

［확인❸］ 답 $\dfrac{3}{2^3 \times 5}$, $\dfrac{15}{2 \times 3 \times 5^2}$

$\dfrac{3}{9} = \dfrac{1}{3}$, $\dfrac{3}{28} = \dfrac{3}{2^2 \times 7}$, $\dfrac{24}{90} = \dfrac{4}{15} = \dfrac{4}{3 \times 5}$, $\dfrac{3}{2^3 \times 5}$,

$\dfrac{7}{2 \times 3^2}$, $\dfrac{15}{2 \times 3 \times 5^2} = \dfrac{1}{2 \times 5}$, $\dfrac{12}{2^4 \times 7} = \dfrac{3}{2^2 \times 7}$

따라서 유한소수로 나타낼 수 있는 것은 $\dfrac{3}{2^3 \times 5}$, $\dfrac{15}{2 \times 3 \times 5^2}$이다.

［확인❹］ 답 (1) 1000 (2) 10 (3) 990 (4) 1241 (5) $\dfrac{1241}{990}$

［확인❺］ 답 (1) × (2) ×

(1) 무한소수 중 순환하지 않는 무한소수는 유리수가 아니다.

(2) 유리수 중 순환소수는 유한소수로 나타낼 수 없다.

STEP 1 | 억울하게 울리는 문제   pp. 008~009

1 (1) 유리수이다 (2) 유리수가 아니다 (3) 순환소수 (4) 기약분수
2 (1) × (2) ×   3 (1) 순환소수 (2) 유리수
4-1 15   4-2 9
5-1 8   5-2 2
6-1 4   6-2 1

1 답 (1) 유리수이다 (2) 유리수가 아니다 (3) 순환소수 (4) 기약분수

(3) 무한소수 중 순환소수는 분수로 나타낼 수 있고, 순환하지 않는 무한소수는 분수로 나타낼 수 없다.

---

2 답 (1) × (2) ×

(1) $0.\dot{1} + (-0.\dot{1}) = \dfrac{1}{9} + \left(-\dfrac{1}{9}\right) = 0$과 같이 무한소수와 무한소수의 합이 정수인 경우도 있다.

(2) $0.3 \times 0.\dot{3} = \dfrac{3}{10} \times \dfrac{3}{9} = \dfrac{1}{10} = 0.1$과 같이 유한소수와 순환소수의 곱이 유한소수인 경우도 있다.

4-1 답 15

$\dfrac{5}{6} = 0.8\dot{3}$이므로 $A = 3$

$A = 3$을 $\dfrac{A}{198}$에 대입하면

$\dfrac{3}{198} = \dfrac{1}{66} = 0.0\dot{1}\dot{5}$

따라서 구하는 순환마디는 15이다.

4-2 답 9

$\dfrac{1}{9} = 0.\dot{1}$이므로 순환마디의 숫자는 1의 1개이다.

$\therefore a = 1$

$\dfrac{2}{11} = 0.\dot{1}\dot{8}$이므로 순환마디의 숫자는 1, 8의 2개이다.

$\therefore b = 2$

$\dfrac{3}{13} = 0.\dot{2}3076\dot{9}$이므로 순환마디의 숫자는 2, 3, 0, 7, 6, 9의 6개이다.

$\therefore c = 6$

$\therefore a + b + c = 1 + 2 + 6 = 9$

5-1 답 8

$\dfrac{2}{7} = 0.\dot{2}8571\dot{4}$이므로 소수점 아래 첫 번째 자리부터 순환마디가 시작되고, 순환마디의 숫자는 2, 8, 5, 7, 1, 4의 6개이다.

이때 $2000 = 6 \times 333 + 2$이므로 소수점 아래 2000번째 자리의 숫자는 순환마디의 두 번째 숫자인 8이다.

$\therefore a_{2000} = 8$

5-2 답 2

$\dfrac{5}{13} = 0.\dot{3}8461\dot{5}$이므로 소수점 아래 첫 번째 자리부터 순환마디가 시작되고, 순환마디의 숫자는 3, 8, 4, 6, 1, 5의 6개이다.

이때 $20 = 6 \times 3 + 2$이므로 소수점 아래 20번째 자리의 숫자는 순환마디의 두 번째 숫자인 8이다.

$\therefore a = 8$

또 $100 = 6 \times 16 + 4$이므로 소수점 아래 100번째 자리의 숫자는 순환마디의 4번째 숫자인 6이다.

$\therefore b = 6$

$\therefore a - b = 8 - 6 = 2$

6-1 📝 4

$\dfrac{1}{22}=0.0\dot{4}\dot{5}$이므로 소수점 아래 두 번째 자리부터 순환마디가 시작되고, 순환마디의 숫자는 4, 5의 2개이다.

이때 $30-1=2\times14+1$이므로 소수점 아래 30번째 자리의 숫자는 순환마디의 첫 번째 숫자인 4이다.

6-2 📝 1

$\dfrac{4}{35}=0.1\dot{1}4285\dot{7}$이므로 소수점 아래 두 번째 자리부터 순환마디가 시작되고, 순환마디의 숫자는 1, 4, 2, 8, 5, 7의 6개이다.

이때 $50-1=6\times8+1$이므로 소수점 아래 50번째 자리의 숫자는 순환마디의 첫 번째 숫자인 1이다.

STEP 2 | 반드시 등수 올리는 문제   pp. 010~014

01 225	**02** 61	**03** ㉠, ㉢
04 9개	**05** 419	**06** 88
07 1	**08** 84	**09** 567
10 14개	**11** 24개	**12** 23, 56, 89
13 13개	**14** ⑤	**15** ㉢, ㉣, ㉥
16 3	**17** $0.0\dot{9}$, $0.2\dot{7}$	**18** $0.000\dot{1}$
19 2	**20** $\dfrac{9}{14}$	**21** 14, 19
22 $0.000\dot{1}$	**23** 24	

01 📝 225

$\dfrac{2}{21}=0.\dot{0}9523\dot{8}$이므로 소수점 아래 첫 번째 자리부터 순환마디가 시작되고, 순환마디의 숫자는 0, 9, 5, 2, 3, 8의 6개이다.

이때 $50=6\times8+2$이므로

$a_1+a_2+a_3+\cdots+a_{50}$
$=8\times(0+9+5+2+3+8)+0+9$
$=225$

전략

$\dfrac{2}{21}$ 를 소수로 나타낸 후 순환마디를 구한다.

02 📝 61

$\dfrac{3}{14}=0.2\dot{1}4285\dot{7}$이므로 소수점 아래 두 번째 자리부터 순환마디가 시작되고, 순환마디의 숫자는 1, 4, 2, 8, 5, 7의 6개이다.

이때 $15-1=6\times2+2$이므로

$x_1+x_2+x_3+\cdots+x_{15}$
$=2+2\times(1+4+2+8+5+7)+1+4$
$=61$

전략

먼저 $\dfrac{3}{14}$ 을 소수로 나타낸 후 순환마디를 구한다. 이때 순환마디가 소수점 아래 몇 번째 자리부터 시작하는지 유의하여 $x_1, x_2, x_3, \cdots, x_{15}$의 규칙성을 찾아본다.

03 📝 ㉠, ㉢

$\dfrac{4}{7}=0.\dot{5}7142\dot{8}$이므로 소수점 아래 첫 번째 자리부터 순환마디가 시작되고, 순환마디의 숫자는 5, 7, 1, 4, 2, 8의 6개이다.

㉠ $30=6\times5$이므로 소수점 아래 30번째 자리의 숫자는 순환마디의 6번째 숫자인 8이다.

∴ $f(30)=8$

㉡ 순환마디의 숫자의 개수가 6개이므로

$f(n)=f(n+6)$

㉢ 순환마디의 숫자는 5, 7, 1, 4, 2, 8이므로 $f(n)=1$을 만족하는 자연수 n의 값은 3, 9, 15, $\cdots$이다.

즉 두 자리의 자연수 n은 15, 21, 27, $\cdots$, 99의 15개이다.

따라서 보기 중 옳은 것은 ㉠, ㉢이다.

전략

$f(n)=f(n+5)$이면
$f(1)=f(6), f(2)=f(7), f(3)=f(8), f(4)=f(9), \cdots$임을 의미한다.

04 📝 9개

$\dfrac{22319}{9999}=2.2\dot{3}2\dot{1}$이므로 소수점 아래 첫 번째 자리부터 순환마디가 시작되고, 순환마디의 숫자는 2, 3, 2, 1의 4개이다.

$a_1=a_5=a_9=\cdots=2$
$a_2=a_6=a_{10}=\cdots=3$
$a_3=a_7=a_{11}=\cdots=2$
$a_4=a_8=a_{12}=\cdots=1$

$\dfrac{6}{7}=0.\dot{8}5714\dot{2}$이므로 소수점 아래 첫 번째 자리부터 순환마디가 시작되고, 순환마디의 숫자는 8, 5, 7, 1, 4, 2의 6개이다.

$b_1=b_7=b_{13}=\cdots=8$
$b_2=b_8=b_{14}=\cdots=5$
$b_3=b_9=b_{15}=\cdots=7$
$b_4=b_{10}=b_{16}=\cdots=1$
$b_5=b_{11}=b_{17}=\cdots=4$
$b_6=b_{12}=b_{18}=\cdots=2$

(i) n이 100 이하의 자연수일 때, $a_n=b_n=2$인 경우

$a_n=2$인 n의 값은 1, 3, 5, $\cdots$, 99

$b_n=2$인 n의 값은 6, 12, 18, $\cdots$, 96

따라서 $a_n=b_n=2$를 만족하는 n의 값은 없다.

(ii) n이 100 이하의 자연수일 때, $a_n=b_n=1$인 경우

$a_n=1$인 n의 값은 4, 8, 12, $\cdots$, 100

$b_n=1$인 n의 값은 4, 10, 16, $\cdots$, 100

따라서 $a_n=b_n=1$을 만족하는 n의 값은 4, 16, 28, 40, 52, 64, 76, 88, 100의 9개이다.

(i), (ii)에서 $a_n = b_n$을 만족하는 자연수 n의 값은 9개이다.

전략

먼저 두 분수 $\dfrac{22319}{9999}$와 $\dfrac{6}{7}$을 소수로 나타낸 후 순환마디를 각각 구한다.

이때 a_n과 b_n의 규칙성을 찾아 $a_n = b_n$인 경우를 구해 본다.

05 답 419

$$\frac{156}{375} = \frac{52}{125} = \frac{52}{5^3} = \frac{52 \times 2^3}{5^3 \times 2^3} = \frac{416}{10^3} = \frac{4160}{10^4} = \frac{41600}{10^5} = \cdots$$

따라서 $a+n$의 최솟값은 $416+3=419$

전략

먼저 분수를 기약분수로 나타낸 후 분모를 10의 거듭제곱 꼴로 나타낸다.

06 답 88

$\dfrac{11}{2^3 \times 5^2 \times a}$이 유한소수가 되려면 a는 2 또는 5를 소인수로 갖는

수이거나 11의 배수이면서 2 또는 5를 소인수로 갖는 수이다.

따라서 a의 값이 될 수 있는 가장 큰 두 자리의 자연수는

$2^3 \times 11 = 88$

전략

기약분수의 분모를 소인수분해하였을 때, 소인수가 2 또는 5뿐이면 유한소수로 나타낼 수 있다.

07 답 1

$\dfrac{9}{21} = \dfrac{3}{7}$이므로 유한소수로 나타낼 수 없다.

$\therefore 9 \bigstar 21 = -1$

$\dfrac{15}{8} = \dfrac{15}{2^3}$이므로 유한소수로 나타낼 수 있다.

$\therefore 15 \bigstar 8 = 1$

$\dfrac{169}{65} = \dfrac{13}{5}$이므로 유한소수로 나타낼 수 있다.

$\therefore 169 \bigstar 65 = 1$

$\therefore (9 \bigstar 21) + (15 \bigstar 8) + (169 \bigstar 65) = -1 + 1 + 1 = 1$

전략

먼저 분수를 기약분수로 나타낸 후 분모를 소인수분해한다.

08 답 84

$\dfrac{19}{114} \times A = \dfrac{1}{6} \times A = \dfrac{1}{2 \times 3} \times A$가 유한소수가 되려면 A는 3의

배수이어야 한다.

$\dfrac{9}{140} \times A = \dfrac{9}{2^2 \times 5 \times 7} \times A$가 유한소수가 되려면 A는 7의 배수

이어야 한다.

즉 A는 3과 7의 공배수인 21의 배수이어야 한다.

따라서 구하는 가장 큰 두 자리의 자연수는

$21 \times 4 = 84$

전략

두 분수를 기약분수로 나타낸 후 분모의 소인수 중 2 또는 5 이외의 수를 동시에 약분할 수 있는 A의 값을 구한다.

09 답 567

조건 (나)에서

$\dfrac{A}{630} = \dfrac{A}{2 \times 3^2 \times 5 \times 7}$가 유한소수가 되려면 A는 $3^2 \times 7$, 즉 63의

배수이어야 한다.

조건 (다)에서

$\dfrac{A}{630} \times 40 = \dfrac{2^2 \times A}{3^2 \times 7}$가 어떤 자연수의 제곱이 되려면 A는

$3^2 \times 7 \times ($자연수$)^2$의 꼴이어야 한다.

즉 조건 (나), (다)를 만족하는 A는 $63 \times ($자연수$)^2$의 꼴이어야 한다.

따라서 가능한 A의 값은

$A = 63 \times 1^2, \ 63 \times 2^2, \ 63 \times 3^2, \ \cdots$

이 중 조건 (가)를 만족하는 A의 값은

$63 \times 3^2 = 567$

전략

먼저 조건 (나), (다)를 만족하는 A의 값을 모두 구한다.

10 답 14개

(i) 분모의 소인수가 2만 있는 경우

  $2, \ 2^2, \ 2^3, \ 2^4, \ 2^5, \ 2^6$의 6개

(ii) 분모의 소인수가 5만 있는 경우

  $5, \ 5^2$의 2개

(iii) 분모의 소인수가 2와 5가 있는 경우

  $2 \times 5, \ 2 \times 5^2, \ 2^2 \times 5, \ 2^2 \times 5^2, \ 2^3 \times 5, \ 2^4 \times 5$의 6개

(i)~(iii)에서 유한소수로 나타낼 수 있는 것은

$6 + 2 + 6 = 14$(개)

전략

분모의 소인수가 2만 있는 경우, 분모의 소인수가 5만 있는 경우, 분모의 소인수가 2와 5가 있는 경우로 나누어 생각해 본다.

11 답 24개

$\dfrac{21}{30} \leq \dfrac{x}{30} \leq \dfrac{100}{30}$에서 $\dfrac{x}{30} = \dfrac{x}{2 \times 3 \times 5}$가 유한소수가 되려면 x는

3의 배수이어야 한다.

이때 $21 \leq x \leq 100$을 만족하는 자연수 x의 값 중 3의 배수는

$3 \times 7 = 21, \ 3 \times 8 = 24, \ 3 \times 9 = 27, \ \cdots, \ 3 \times 33 = 99$이므로 27개이

고 이 중에서 $\dfrac{x}{30}$를 정수로 만드는 x의 값은 $30, \ 60, \ 90$의 3개이다.

따라서 유한소수로 나타낼 수 있는 것은

$27 - 3 = 24$(개)

전략

분모인 30을 소인수분해하면 $2 \times 3 \times 5$이므로 유한소수가 되려면 분자는 3의 배수이어야 한다.

12 답 23, 56, 89

$165x-k=10$에서 $165x=k+10$

$\therefore x=\dfrac{k+10}{165}=\dfrac{k+10}{3\times5\times11}$

이때 x가 유한소수가 되려면 $k+10$은 3×11, 즉 33의 배수이어야 하므로

$k+10=33,\,66,\,99,\,132,\,\cdots$

$\therefore k=23,\,56,\,89,\,122,\,\cdots$

따라서 구하는 두 자리의 자연수 k의 값은 23, 56, 89이다.

전략

먼저 일차방정식의 해를 구한 후 해가 유한소수가 되도록 하는 k의 값을 구한다.

13 답 13개

$\dfrac{2}{5}=\dfrac{14}{35},\,\dfrac{6}{7}=\dfrac{30}{35}$이므로 구하는 분수를 $\dfrac{a}{35}$라 하면

$\dfrac{14}{35}<\dfrac{a}{35}<\dfrac{30}{35}$

이를 만족하는 자연수 a의 값은 15, 16, 17, $\cdots$, 29의 15개이다.

이때 $\dfrac{a}{35}=\dfrac{a}{5\times7}$가 유한소수가 되려면 a의 값은 $14<a<30$인 7의 배수이어야 한다.

즉 $\dfrac{a}{35}$가 유한소수가 되도록 하는 자연수 a의 값은 21, 28의 2개이다.

따라서 유한소수로 나타낼 수 없는 것은 $15-2=13$(개)

전략

두 분수 $\dfrac{2}{5}$와 $\dfrac{6}{7}$ 사이의 분수 중에서 분모가 35이고 유한소수로 나타낼 수 있는 것의 개수를 구해 본다.

14 답 ⑤

⑤ $\dfrac{13}{495}=\dfrac{26}{990}=0.02\dot{6}$

전략

순환소수 A를 분수로 나타낼 때, $A=\dfrac{n}{495}=\dfrac{2n}{990}$($n$과 495는 서로소)이라 하면 분모가 990이므로 순환마디는 소수점 아래 두 번째 자리부터 시작되고, 순환마디의 숫자의 개수는 2개이다.

15 답 ㉢, ㉣, ㉥

$0.34\dot{a}=\dfrac{340+a-3}{990}$이므로 $\dfrac{337+a}{990}=\dfrac{b}{330}$

즉 $337+a=3b$이므로 $b=\dfrac{337+a}{3}$

b는 자연수이므로 $337+a$는 3의 배수이어야 한다.

이때 a는 한 자리의 자연수이므로

(ⅰ) $a=2$일 때, $b=\dfrac{337+2}{3}=113$

$\qquad\therefore b-a=113-2=111$

(ⅱ) $a=5$일 때, $b=\dfrac{337+5}{3}=114$

$\qquad\therefore b-a=114-5=109$

(ⅲ) $a=8$일 때, $b=\dfrac{337+8}{3}=115$

$\qquad\therefore b-a=115-8=107$

(ⅰ)~(ⅲ)에서 $b-a$의 값이 될 수 있는 것은 ㉢, ㉣, ㉥이다.

전략

순환소수 $0.34\dot{a}$를 분수로 나타낸 후 a와 b의 값을 각각 구한다.

16 답 3

$0.\dot{x}=\dfrac{x}{9}$이므로 $\dfrac{1}{3}\le0.\dot{x}<\dfrac{5}{7}$에서

$\dfrac{1}{3}\le\dfrac{x}{9}<\dfrac{5}{7}$ $\therefore \dfrac{21}{63}\le\dfrac{7x}{63}<\dfrac{45}{63}$

이때 x는 한 자리의 자연수이므로 x의 값은 3, 4, 5, 6이다.

따라서 $a=6$, $b=3$이므로

$a-b=6-3=3$

전략

$0.\dot{x}=\dfrac{x}{9}$로 나타낸 후 분모를 통분하여 분자를 비교한다.

17 답 $0.\dot{0}\dot{9}$, $0.\dot{2}\dot{7}$

$0.\dot{x}\dot{y}=\dfrac{10x+y}{99}$, $0.\dot{y}\dot{x}=\dfrac{10y+x}{99}$, $0.\dot{5}=\dfrac{5}{9}$이므로

$0.\dot{x}\dot{y}+0.\dot{y}\dot{x}=0.\dot{5}$에서

$\dfrac{10x+y}{99}+\dfrac{10y+x}{99}=\dfrac{5}{9}$, $\dfrac{11x+11y}{99}=\dfrac{5}{9}$

$\dfrac{x+y}{9}=\dfrac{5}{9}$ $\therefore x+y=5$

이때 $x,\,y$는 $y>x$인 한 자리의 자연수이므로

$x=1,\,y=4$ 또는 $x=2,\,y=3$

(ⅰ) $x=1,\,y=4$일 때

$\quad 0.\dot{y}\dot{x}-0.\dot{x}\dot{y}=0.\dot{4}\dot{1}-0.\dot{1}\dot{4}=\dfrac{41}{99}-\dfrac{14}{99}$

$\qquad\qquad\qquad =\dfrac{27}{99}=0.\dot{2}\dot{7}$

(ⅱ) $x=2,\,y=3$일 때

$\quad 0.\dot{y}\dot{x}-0.\dot{x}\dot{y}=0.\dot{3}\dot{2}-0.\dot{2}\dot{3}=\dfrac{32}{99}-\dfrac{23}{99}$

$\qquad\qquad\qquad =\dfrac{9}{99}=0.\dot{0}\dot{9}$

(ⅰ), (ⅱ)에서 구하는 순환소수는 $0.\dot{0}\dot{9}$, $0.\dot{2}\dot{7}$이다.

전략

$0.xy=\dfrac{10x+y}{100}$이므로 $0.\dot{x}\dot{y}=\dfrac{10x+y}{99}$, $0.\dot{y}\dot{x}=\dfrac{10y+x}{99}$이다.

이때 $0.\dot{x}\dot{y}$를 $\dfrac{xy}{99}$로 생각하지 않도록 주의한다.

18 답 $0.000\dot{1}$

$<2,\,3,\,5,\,7>=0.\dot{2}+0.0\dot{3}+0.00\dot{5}+0.000\dot{7}$

$\qquad=\dfrac{2}{9}+\dfrac{3}{90}+\dfrac{5}{900}+\dfrac{7}{9000}$

$\qquad=\dfrac{2357}{9000}$

$\qquad=2357\times\dfrac{1}{9000}$

$\qquad=2357\times0.000\dot{1}$

$\therefore A=0.000\dot{1}$

전략
$<2,\,3,\,5,\,7>$을 조건에 맞게 분수로 나타내어 본다.

19 답 2

$1-\dfrac{2}{1+\dfrac{1}{x}}=1-\dfrac{2x}{x+1}=\dfrac{1-x}{x+1}$

$0.\dot{6}\dot{3}=\dfrac{63}{99}=\dfrac{7}{11}$이므로

$\dfrac{1-x}{x+1}=\dfrac{7}{11}$에서 $7x+7=11-11x$

$18x=4$ $\quad\therefore x=\dfrac{2}{9}$

따라서 $0.\dot{a}=\dfrac{2}{9}=0.\dot{2}$이므로 $a=2$

전략

$\dfrac{\dfrac{d}{c}}{\dfrac{b}{a}}$와 같이 분수의 분모나 분자가 분수로 되어 있는 분수를 번분수라

한다. 이때 번분수는 다음과 같이 계산한다.

$\Rightarrow \dfrac{\dfrac{d}{c}}{\dfrac{b}{a}}=\dfrac{d}{c}\div\dfrac{b}{a}=\dfrac{d}{c}\times\dfrac{a}{b}=\dfrac{ad}{bc}$

특히 $\dfrac{1}{\dfrac{b}{a}}=1\div\dfrac{b}{a}=1\times\dfrac{a}{b}=\dfrac{a}{b}$이다.

20 답 $\dfrac{9}{14}$

$a=1+\dfrac{3}{10}+\dfrac{2}{10^2}+\dfrac{7}{10^3}+\dfrac{2}{10^4}+\dfrac{7}{10^5}+\dfrac{2}{10^6}+\cdots$

$\quad=1.3\dot{2}\dot{7}=\dfrac{1314}{990}=\dfrac{73}{55}$

$b=\dfrac{2}{10}+\dfrac{2}{10^2}+\dfrac{8}{10^3}+\dfrac{2}{10^4}+\dfrac{8}{10^5}+\dfrac{2}{10^6}+\cdots$

$\quad=0.2\dot{2}\dot{8}=\dfrac{226}{990}=\dfrac{113}{495}$

즉 $a=\dfrac{73}{55}$, $b=\dfrac{113}{495}$이므로

$a+b=\dfrac{73}{55}+\dfrac{113}{495}=\dfrac{770}{495}=\dfrac{14}{9}$

$\therefore <a+b>=\dfrac{9}{14}$

전략
$a,\,b$를 각각 순환소수로 나타낸 후 분수로 나타내어 본다.

21 답 14, 19

$0.0\dot{b}=\dfrac{b}{90}$, $0.\dot{a}=\dfrac{a}{9}$, $0.00\dot{c}=\dfrac{c}{900}$이므로

$(0.0\dot{b})^2=0.\dot{a}\times0.00\dot{c}$에서

$\left(\dfrac{b}{90}\right)^2=\dfrac{a}{9}\times\dfrac{c}{900}$, $\dfrac{b^2}{8100}=\dfrac{ac}{8100}$ $\quad\therefore b^2=ac$

따라서 주어진 조건을 만족하는 세 자연수 $a,\,b,\,c$는

$a=2,\,b=4,\,c=8$ 또는 $a=4,\,b=6,\,c=9$이므로

$a+b+c$의 값은 14 또는 19이다.

전략
순환소수를 분수로 나타낸 후 조건에 맞는 $a,\,b,\,c$의 값을 각각 구한다.

22 답 $0.000\dot{1}$

$1.9\dot{8}=1.9888\cdots$이므로 $1.9\dot{8}<1.99$

$\therefore 1.9\dot{8}\,\textcircled{\scriptsize{◎}}\,1.99=1.99-1.9\dot{8}$

$\qquad=\dfrac{199}{100}-\dfrac{179}{90}$

$\qquad=\dfrac{1}{900}=0.00\dot{1}$

$0.00\dot{1}=0.00111\cdots$이므로 $0.00\dot{1}>0.001$

$\therefore 0.00\dot{1}\,\textcircled{\scriptsize{◎}}\,0.001=0.00\dot{1}-0.001$

$\qquad=\dfrac{1}{900}-\dfrac{1}{1000}$

$\qquad=\dfrac{1}{9000}=0.000\dot{1}$

$\therefore (1.9\dot{8}\,\textcircled{\scriptsize{◎}}\,1.99)\,\textcircled{\scriptsize{◎}}\,0.001=0.00\dot{1}\,\textcircled{\scriptsize{◎}}\,0.001$

$\qquad\qquad=0.000\dot{1}$

전략
· 순환소수의 대소 관계
[방법 1] 순환소수를 풀어 써서 소수점 아래 첫 번째 자리의 숫자부터 차례로 비교한다.
[방법 2] 순환소수를 분수로 나타내어 비교한다.

23 답 24

$c\times9999.\dot{9}-c=c\times\dfrac{99999-9999}{9}-c$

$\qquad=10000c-c=9999c$

$\qquad=9999\times\dfrac{b}{a\times1111}=9\times\dfrac{b}{a}$

이때 $9\times\dfrac{b}{a}$가 자연수이므로 a는 1이 아닌 9의 약수이다.

한편 두 자연수 $a,\,b$는 서로소이므로

$a=3$일 때, $b=2,\,4,\,5,\,7,\,8$

$a=9$일 때, $b=2,\,4,\,5,\,7,\,8$

따라서 구하는 최댓값은 $a=3$, $b=8$일 때이므로

$9\times\dfrac{b}{a}=9\times\dfrac{8}{3}=24$

전략
$\dfrac{b}{a\times1111}$는 기약분수이므로 a와 b는 서로소이다.

1 $0.\dot{8}$	2 2	3 $\left(\dfrac{23}{3}, \dfrac{58}{9}\right)$
4 5개	5 18	

1 답 $0.\dot{8}$

$\dfrac{A}{720} = \dfrac{A}{2^4 \times 3^2 \times 5}$ 가 유한소수가 되려면 A는 3^2, 즉 9의 배수이어야 한다.

따라서 A의 값이 될 수 있는 가장 작은 자연수는 9이므로 $x=9$

한편 소수점 아래 두 번째 자리부터 순환마디가 시작되는 순환소수는 분수로 나타내었을 때, 분모에서 일의 자리의 숫자만 0이고 일의 자리를 제외한 나머지 자리의 숫자는 9이어야 한다.

즉 기약분수로 나타내었을 때, 분모의 소인수에 2 또는 5가 1개씩만 있어야 한다.

(i) 분모의 소인수에 2만 1개 있을 때

    A의 값이 될 수 있는 가장 작은 자연수는 $2^3 \times 5 = 40$

(ii) 분모의 소인수에 5만 1개 있을 때

    A의 값이 될 수 있는 가장 작은 자연수는 $2^4 = 16$

(iii) 분모의 소인수에 2, 5가 각각 1개씩 있을 때

    A의 값이 될 수 있는 가장 작은 자연수는 $2^3 = 8$

(i)~(iii)에서 $y = 8$

$\therefore \dfrac{y}{x} = \dfrac{8}{9} = 0.\dot{8}$

전략

(1) 소수점 아래 첫 번째 자리부터 순환마디가 시작되는 순환소수

  ➡ 분모가 $9, 99, 999, \cdots$의 꼴이다.

  ➡ 분모의 소인수에 2와 5가 없다.

(2) 소수점 아래 첫 번째 자리부터 순환마디가 시작되지 않는 순환소수

  ➡ 분모가 $90, 900, 990, \cdots$의 꼴이다.

  ➡ 분모의 소인수에 2 또는 5가 있다.

2 답 2

3의 일의 자리의 숫자는 3이므로 $a_1 = 3$

$3 + 3^2$의 일의 자리의 숫자는 2이므로 $a_2 = 2$

$3 + 3^2 + 3^3$의 일의 자리의 숫자는 9이므로 $a_3 = 9$

$3 + 3^2 + 3^3 + 3^4$의 일의 자리의 숫자는 0이므로 $a_4 = 0$

$3 + 3^2 + 3^3 + 3^4 + 3^5$의 일의 자리의 숫자는 3이므로 $a_5 = 3$

     $\vdots$

$\therefore a_1 = a_5 = a_9 = \cdots = 3$

    $a_2 = a_6 = a_{10} = \cdots = 2$

    $a_3 = a_7 = a_{11} = \cdots = 9$

    $a_4 = a_8 = a_{12} = \cdots = 0$ $\cdots\cdots$ 40 %

즉 $0.a_1 a_2 a_3 \cdots a_n \cdots = 0.32903290 \cdots = 0.\dot{3}29\dot{0}$이므로 소수점 아래 첫 번째 자리부터 순환마디가 시작되고, 순환마디의 숫자는 3, 2, 9, 0의 4개이다. $\cdots\cdots$ 30 %

이때 $1234 = 4 \times 308 + 2$이므로 소수점 아래 1234번째 자리의 숫자는 순환마디의 두 번째 숫자인 2이다. $\cdots\cdots$ 30 %

전략

a_n의 값이 규칙적으로 반복되는 것을 이용한다.

a_1은 3의 일의 자리의 숫자이므로 3

a_2는 $3 + 3^2 = 12$의 일의 자리의 숫자이므로 2

a_3은 $3 + 3^2 + 3^3 = 39$의 일의 자리의 숫자이므로 9

a_4는 $3 + 3^2 + 3^3 + 3^4 = 120$의 일의 자리의 숫자이므로 0

3 답 $\left(\dfrac{23}{3}, \dfrac{58}{9}\right)$

점 P의 x좌표가 가까워지는 값은

$1 + 6 + 6 \times \dfrac{1}{10} + 6 \times \left(\dfrac{1}{10}\right)^2 + 6 \times \left(\dfrac{1}{10}\right)^3 + \cdots$

$= 7 + 0.6 + 0.06 + 0.006 + \cdots$

$= 7 + 0.666\cdots = 7.\dot{6}$

$= \dfrac{69}{9} = \dfrac{23}{3}$

점 P의 y좌표가 가까워지는 값은

$2 + 4 + 4 \times \dfrac{1}{10} + 4 \times \left(\dfrac{1}{10}\right)^2 + 4 \times \left(\dfrac{1}{10}\right)^3 + \cdots$

$= 6 + 0.4 + 0.04 + 0.004 + \cdots$

$= 6 + 0.444\cdots = 6.\dot{4}$

$= \dfrac{58}{9}$

따라서 점 P가 가까워지는 점의 좌표는 $\left(\dfrac{23}{3}, \dfrac{58}{9}\right)$이다.

전략

점 P가 움직이는 규칙을 이용하여 점 P가 가까워지는 점의 x좌표와 y좌표를 각각 순환소수로 나타낸다.

4 답 5개

주어진 조건에 의하여 A는 $0.\dot{a}b\dot{c}$ (a, b, c는 0 또는 한 자리의 자연수)의 꼴이다.

즉 약분하기 전의 분모가 999이어야 하므로 기약분수의 분모로 가능한 수는 999의 약수이다.

$999 = 3^3 \times 37$이므로 999의 약수는 1, 3, 9, 27, 37, 111, 333, 999이다.

이때 분모가 1이 될 수는 없고, 분모가 3, 9인 기약분수는 순환마디의 숫자가 1개이므로 조건에 맞지 않다.

따라서 분모가 될 수 있는 수는 27, 37, 111, 333, 999의 5개이다.

전략

$999 = 3^3 \times 37$이므로 약수는 다음과 같다.

	1	3	3^2	3^3
1	$1 \times 1 = 1$	$1 \times 3 = 3$	$1 \times 3^2 = 9$	$1 \times 3^3 = 27$
37	$37 \times 1 = 37$	$37 \times 3 = 111$	$37 \times 3^2 = 333$	$37 \times 3^3 = 999$

5  18

$$2.\dot{a}bc\dot{d}+1.\dot{c}d\dot{a}b=2+0.\dot{a}bc\dot{d}+1+0.\dot{c}d\dot{a}b$$
$$=3+0.\dot{a}bc\dot{d}+0.\dot{c}d\dot{a}b$$
$$=(자연수)$$

이때 $0<0.\dot{a}bc\dot{d}<1$, $0<0.\dot{c}d\dot{a}b<1$이므로

$0.\dot{a}bc\dot{d}+0.\dot{c}d\dot{a}b=1$이어야 한다.

$$\frac{1000a+100b+10c+d}{9999}+\frac{1000c+100d+10a+b}{9999}=1$$

$$\frac{101(10a+b+10c+d)}{9999}=1$$

$$10a+b+10c+d=99$$

$$\therefore 10(a+c)+(b+d)=99$$

이때 a, b, c, d가 한 자리의 자연수이므로

$$a+c=9, b+d=9$$

$$\therefore a+b+c+d=9+9=18$$

II
식의 계산

01 단항식과 다항식의 계산

[확인 ❶] 답 ①, ④

① $a^3 \times a^2 = a^{3+2} = a^5$

② $(3a^2b^3)^2 = 3^2 a^{2\times2} b^{3\times2} = 9a^4b^6$

③ $(x^4)^2 \div x^8 = x^8 \div x^8 = 1$

④ $\left(\dfrac{x}{y^4}\right)^2 = \dfrac{x^{1\times2}}{y^{4\times2}} = \dfrac{x^2}{y^8}$

⑤ $x \times (x^2)^3 \div (x^3)^5 = x \times x^6 \times \dfrac{1}{x^{15}} = \dfrac{1}{x^8}$

따라서 옳은 것은 ①, ④이다.

[확인 ❷] 답 (1) $4a^{22}b^{18}$ (2) $-\dfrac{1}{6}a^3b$ (3) $\dfrac{27}{x^5y^2z^{13}}$

(1) $(-2a^3b^2)^2 \times (a^2b^3)^3 \times (a^2b)^5 = 4a^6b^4 \times a^6b^9 \times a^{10}b^5$
$$= 4a^{22}b^{18}$$

(2) $\left(-\dfrac{1}{2}a^2b\right)^3 \div \dfrac{3}{4}a^3b^2 = -\dfrac{1}{8}a^6b^3 \times \dfrac{4}{3a^3b^2}$
$$= -\dfrac{1}{6}a^3b$$

(3) $(3xy^2z)^3 \div \{(xyz^2)^2\}^3 \div (xyz^2)^2$
$$= 27x^3y^6z^3 \times \dfrac{1}{x^6y^6z^{12}} \times \dfrac{1}{x^2y^2z^4} = \dfrac{27}{x^5y^2z^{13}}$$

[확인 ❸] 답 $4x$

$7x - [6x - 4y + \{-x + 3y - (2x - y)\}]$
$= 7x - \{6x - 4y + (-x + 3y - 2x + y)\}$
$= 7x - \{6x - 4y + (-3x + 4y)\}$
$= 7x - 3x = 4x$

[확인 ❹] 답 $8xy$

$\{3x + (x - 2y)\} \times 3y - (6x^3y - 9x^2y^2) \div \dfrac{3}{2}x^2$

$= (4x - 2y) \times 3y - (6x^3y - 9x^2y^2) \times \dfrac{2}{3x^2}$

$= 12xy - 6y^2 - \left(6x^3y \times \dfrac{2}{3x^2} - 9x^2y^2 \times \dfrac{2}{3x^2}\right)$

$= 12xy - 6y^2 - (4xy - 6y^2)$

$= 12xy - 6y^2 - 4xy + 6y^2$

$= 8xy$

[확인 ⑤] 답 $12x-8y$

$a-\{b-3(a+b)\}+2b$
$=a-(b-3a-3b)+2b$
$=a-(-3a-2b)+2b$
$=a+3a+2b+2b$
$=4a+4b$
$=4(2x+y)+4(x-3y)$
$=8x+4y+4x-12y$
$=12x-8y$

STEP 1 | 억울하게 울리는 문제 pp. 020~022

1-1 ①	**1-2** ③
2-1 33	**2-2** -1
3-1 $\dfrac{9x^2}{yz^4}$	**3-2** $\dfrac{x^3y}{2}$
4-1 -3	**4-2** 1
5-1 0	**5-2** $6y$
6-1 n이 홀수일 때, 0 / n이 짝수일 때, $2^{n+1}-2^{n+2}$	
6-2 n이 홀수일 때, 1 / n이 짝수일 때, -3	
7-1 ③	**7-2** ④
8-1 ②	**8-2** ⑤
9-1 ③	**9-2** ⑤

1-1 답 ①

① $(x^\square y^5)^5=x^{\square\times5}y^{25}=x^{10}y^{25}$이므로
　$\square\times5=10$　∴ $\square=2$
② $-2\times\left(\dfrac{1}{2}x^\square\right)^2=-2\times\dfrac{1}{4}x^{\square\times2}=-\dfrac{1}{2}x^6$이므로
　$\square\times2=6$　∴ $\square=3$
③ $\left(\dfrac{3}{2}x^3y^\square\right)^2=\dfrac{9}{4}x^6y^{\square\times2}=\dfrac{9}{4}x^6y^8$이므로
　$\square\times2=8$　∴ $\square=4$
④ $3x\times\left(\dfrac{x^\square y^5}{3}\right)^3=3x\times\dfrac{x^{\square\times3}y^{15}}{27}=\dfrac{x^{\square\times3+1}y^{15}}{9}=\dfrac{x^{10}y^{15}}{9}$이므로
　$\square\times3+1=10$　∴ $\square=3$
⑤ $(-3x^\square y^2)^4=81x^{\square\times4}y^8=81x^{28}y^8$이므로
　$\square\times4=28$　∴ $\square=7$
따라서 □ 안에 들어갈 수가 가장 작은 것은 ①이다.

1-2 답 ③

① $(a^2b^\square)^3=a^6b^{\square\times3}=a^6b^{18}$이므로
　$\square\times3=18$　∴ $\square=6$
② $(a^3)^4\div a^\square=a^{12-\square}=a^8$이므로
　$12-\square=8$　∴ $\square=4$

③ $\left(-\dfrac{b^2}{a^3}\right)^3=-\dfrac{b^6}{a^9}=-\dfrac{b^6}{a^\square}$이므로
　$\square=9$
④ $a^5\times a^4\div(a^\square)^2=a^{9-\square\times2}=a$이므로
　$9-\square\times2=1$　∴ $\square=4$
⑤ $a^\square\div(a^2)^2\div a=a^{\square-4-1}=a^3$이므로
　$\square-5=3$　∴ $\square=8$
따라서 □ 안에 들어갈 수가 가장 큰 것은 ③이다.

2-1 답 33

$(4x^2y^3)^2\div(2xy)^2\times9xy^2=16x^4y^6\times\dfrac{1}{4x^2y^2}\times9xy^2$
$=36x^3y^6$
즉 $36x^3y^6=ax^by^c$이므로 $a=36$, $b=3$, $c=6$
∴ $a+b-c=36+3-6=33$

2-2 답 -1

$ax^3y^5\div(-2xy^b)^4\times8x^cy^3=ax^3y^5\times\dfrac{1}{16x^4y^{4b}}\times8x^cy^3$
$=\dfrac{a}{2}x^{c-1}y^{8-4b}$
즉 $\dfrac{a}{2}x^{c-1}y^{8-4b}=-2xy^4$이므로
$\dfrac{a}{2}=-2$에서 $a=-4$
$c-1=1$에서 $c=2$
$8-4b=4$에서 $4b=4$　∴ $b=1$
∴ $a+b+c=-4+1+2=-1$

3-1 답 $\dfrac{9x^2}{yz^4}$

$(-3x^2y)^2\div\square\times(x^2z)^2=(x^2yz^2)^3$에서
$9x^4y^2\times\dfrac{1}{\square}\times x^4z^2=x^6y^3z^6$
$9x^8y^2z^2\times\dfrac{1}{\square}=x^6y^3z^6$
∴ $\square=\dfrac{9x^8y^2z^2}{x^6y^3z^6}=\dfrac{9x^2}{yz^4}$

3-2 답 $\dfrac{x^3y}{2}$

$(-2x^2y^3)^2\div\square\times\dfrac{1}{6x^2y^2}=\dfrac{4y^3}{3x}$에서
$4x^4y^6\times\dfrac{1}{\square}\times\dfrac{1}{6x^2y^2}=\dfrac{4y^3}{3x}$
$\dfrac{2x^2y^4}{3}\times\dfrac{1}{\square}=\dfrac{4y^3}{3x}$
∴ $\square=\dfrac{2x^2y^4}{3}\div\dfrac{4y^3}{3x}$
$=\dfrac{2x^2y^4}{3}\times\dfrac{3x}{4y^3}=\dfrac{x^3y}{2}$

4-1 답 -3

n이 홀수일 때, $n+1$은 짝수이므로

$(-1)^n=-1$, $(-1)^{n+1}=1$

$\therefore (-1)^n-(-1)^{n+1}+(-1)^n\times(-1)^{n+1}$

$\quad =-1-1+(-1)\times 1$

$\quad =-2-1=-3$

4-2 답 1

n이 짝수일 때, $n+1$은 홀수이므로

$(-1)^n=1$, $(-1)^{n+1}=-1$

$\therefore (-1)^n-(-1)^{n+1}+(-1)^n\times(-1)^{n+1}$

$\quad =1-(-1)+1\times(-1)$

$\quad =1+1-1=1$

5-1 답 0

자연수 n에 대하여 $2n+1$은 홀수, $4n$은 짝수이므로

$(-1)^{2n+1}+(-1)^{4n}=-1+1=0$

5-2 답 $6y$

자연수 n에 대하여 $2n-1$은 홀수, $2n+2$는 짝수, $4n+1$은 홀수
이므로

$(-1)^{2n-1}(3x-y)+(-1)^{2n+2}(x+4y)-(-1)^{4n+1}(2x+y)$

$=-(3x-y)+(x+4y)-\{-(2x+y)\}$

$=-3x+y+x+4y+2x+y$

$=6y$

6-1 답 n이 홀수일 때, 0
$\qquad\quad n$이 짝수일 때, $2^{n+1}-2^{n+2}$

(i) n이 홀수일 때, $n+1$은 짝수이므로

$2^n+(-2)^{n+1}-2^{n+1}+(-2)^n=2^n+2^{n+1}-2^{n+1}-2^n$

$\qquad\qquad\qquad\qquad\qquad\qquad\qquad =0$

(ii) n이 짝수일 때, $n+1$은 홀수이므로

$2^n+(-2)^{n+1}-2^{n+1}+(-2)^n=2^n-2^{n+1}-2^{n+1}+2^n$

$\qquad\qquad\qquad\qquad\qquad\qquad\qquad =2\times 2^n-2\times 2^{n+1}$

$\qquad\qquad\qquad\qquad\qquad\qquad\qquad =2^{n+1}-2^{n+2}$

6-2 답 n이 홀수일 때, 1
$\qquad\quad n$이 짝수일 때, -3

(i) n이 홀수일 때, $n+1$은 짝수, $3n-1$은 짝수, $2n$은 짝수이므로

$(-1)^{n+1}+(-1)^{3n-1}-(-1)^{2n}=1+1-1$

$\qquad\qquad\qquad\qquad\qquad\qquad =1$

(ii) n이 짝수일 때, $n+1$은 홀수, $3n-1$은 홀수, $2n$은 짝수이므로

$(-1)^{n+1}+(-1)^{3n-1}-(-1)^{2n}=-1+(-1)-1$

$\qquad\qquad\qquad\qquad\qquad\qquad =-3$

7-1 답 ③

$(3^2)^7\div 81^3\div\left(\dfrac{27}{3^6}\right)^8\times 243^2=3^{14}\div(3^4)^3\div\left(\dfrac{3^3}{3^6}\right)^8\times(3^5)^2$

$\qquad\qquad\qquad\qquad\qquad\qquad =3^{14}\times\dfrac{1}{3^{12}}\times 3^{24}\times 3^{10}$

$\qquad\qquad\qquad\qquad\qquad\qquad =3^{36}=3\times(3^5)^7$

$\qquad\qquad\qquad\qquad\qquad\qquad =3A^7$

7-2 답 ④

$\dfrac{2^{201}+16^{100}}{4^{100}}=\dfrac{2\times 2^{200}+(2^4)^{100}}{(2^2)^{100}}$

$\qquad\qquad\quad =\dfrac{2\times 2^{200}+2^{400}}{2^{200}}$

$\qquad\qquad\quad =\dfrac{2\times 2^{200}+(2^{200})^2}{2^{200}}$

$\qquad\qquad\quad =2+2^{200}$

$\qquad\qquad\quad =a+2$

8-1 답 ②

$2^{51}-2^{49}=2\times 2^{50}-\dfrac{1}{2}\times 2^{50}$

$\qquad\qquad =2A-\dfrac{1}{2}A$

$\qquad\qquad =\dfrac{3}{2}A$

8-2 답 ⑤

$2\times 3^{81}+6\times 3^{79}=2\times 3\times 3^{80}+6\times\dfrac{1}{3}\times 3^{80}$

$\qquad\qquad\qquad\quad =6\times 3^{80}+2\times 3^{80}$

$\qquad\qquad\qquad\quad =6A+2A$

$\qquad\qquad\qquad\quad =8A$

9-1 답 ③

$5^{x+2}(2^{x+1}+3^x)=5^{x+2}\times 2^{x+1}+5^{x+2}\times 3^x$

$\qquad\qquad\qquad\quad =5^x\times 5^2\times 2^x\times 2+5^x\times 5^2\times 3^x$

$\qquad\qquad\qquad\quad =50\times(5\times 2)^x+25\times(5\times 3)^x$

$\qquad\qquad\qquad\quad =50\times 10^x+25\times 15^x$

$\qquad\qquad\qquad\quad =50a+25b$

9-2 답 ⑤

$b=5^{x-2}=5^x\div 5^2=\dfrac{5^x}{25}$이므로 $5^x=25b$

$\therefore 80^x=(2^4\times 5)^x$

$\qquad\quad =2^{4x}\times 5^x$

$\qquad\quad =(2^x)^4\times 5^x$

$\qquad\quad =a^4\times 25b$

$\qquad\quad =25a^4 b$

01 12	**02** 3	**03** 29
04 $6^{22}<5^{33}<2^{77}<4^{44}<3^{66}$		**05** $x=5,24$
06 2	**07** 9	**08** (1) 1 (2) 12
09 6	**10** 36	**11** 8
12 12	**13** x^3y^3	**14** 375
15 $-\dfrac{32}{3}a^8b^6$	**16** 10	**17** $\dfrac{9}{8}a$
18 xy^4장	**19** $-4x^2+10x+4$	
20 (1) $x+4$ (2) $4x^2+2$ (3) $-x^2-2x-1$ (4) $3x^2-2x+1$		
21 26	**22** -4	**23** $xy+x+8y$
24 $3a^2+5ab-2b^2$	**25** $-3y+9$	
26 $b=\dfrac{50(c-a)}{100-c}$	**27** $\dfrac{49}{9}$	**28** $-\dfrac{7}{5}$
29 $\dfrac{4}{3}$		

01 답 12

$108^2=(2^2\times 3^3)^2=2^4\times 3^6$

즉 $2^4\times 3^6=2^{2x}\times 3^y$이므로

$2x=4$에서 $x=2$, $y=6$

$\therefore 3x+y=3\times 2+6=12$

02 답 3

$(7^4)^3\times 7^5\div (7^2)^3=7^{12}\times 7^5\div 7^6$

$\qquad\qquad\qquad\qquad =7^{12+5-6}=7^{11}$

$7^1=7$, $7^2=49$, $7^3=343$, $7^4=2401$, $7^5=16807$, ···과 같이 7의 거듭제곱의 일의 자리의 숫자는 7, 9, 3, 1의 4개의 숫자가 반복하여 나타난다.

따라서 $11=4\times 2+3$이므로 7^{11}의 일의 자리의 숫자는 3이다.

03 답 29

$(x^ay^bz^c)^d=x^{ad}y^{bd}z^{cd}=x^{16}y^{48}z^{36}$이므로

$ad=16$, $bd=48$, $cd=36$

이를 만족하는 가장 큰 자연수 d는 16, 48, 36의 최대공약수이므로 $d=4$이다. 즉

$4a=16$에서 $a=4$

$4b=48$에서 $b=12$

$4c=36$에서 $c=9$

$\therefore a+b+c+d=4+12+9+4=29$

04 답 $6^{22}<5^{33}<2^{77}<4^{44}<3^{66}$

$2^{77}=(2^7)^{11}=128^{11}$, $3^{66}=(3^6)^{11}=729^{11}$,

$4^{44}=(4^4)^{11}=256^{11}$, $5^{33}=(5^3)^{11}=125^{11}$,

$6^{22}=(6^2)^{11}=36^{11}$이다.

이때 각 수의 지수가 같을 때에는 밑이 큰 수가 더 크므로

$6^{22}<5^{33}<2^{77}<4^{44}<3^{66}$

05 답 $x=5,24$

$\dfrac{2^9\times 15^5\times 12^3}{6^7\times 10^x}=\dfrac{2^9\times(3\times 5)^5\times(2^2\times 3)^3}{(2\times 3)^7\times(2\times 5)^x}$

$\qquad\qquad\qquad =\dfrac{2^9\times 3^5\times 5^5\times 2^6\times 3^3}{2^7\times 3^7\times 2^x\times 5^x}$

$\qquad\qquad\qquad =\dfrac{2^{15}\times 3^8\times 5^5}{2^{x+7}\times 3^7\times 5^x}$

$\qquad\qquad\qquad =\dfrac{2^8\times 3\times 5^5}{2^x\times 5^x}$

$x=5$일 때, 가장 작은 자연수가 되므로

$\dfrac{2^8\times 3\times 5^5}{2^5\times 5^5}=2^3\times 3=24$

따라서 가장 작은 자연수가 되도록 하는 자연수 x의 값은 5이고, 그때의 자연수는 24이다.

06 답 2

$6^{x+1}+6^x+6^{x-1}=6^x\times 6+6^x+6^x\div 6$

$\qquad\qquad\qquad\qquad =6^x\times 6+6^x+6^x\times\dfrac{1}{6}$

$\qquad\qquad\qquad\qquad =6^x\times\left(6+1+\dfrac{1}{6}\right)$

$\qquad\qquad\qquad\qquad =6^x\times\dfrac{43}{6}$

한편 $2^8+2=258$이므로

$6^x\times\dfrac{43}{6}=258$에서 $6^x=258\times\dfrac{6}{43}=6^2$

$\therefore x=2$

전략

$6^{x+1}=6^x\times6,\ 6^{x-1}=6^x\div6$임을 이용하여 좌변을 간단히 한다.

07 답 9

$3^{x+2}\times(2^{x+3}+2^{x+4})=3^{x+2}\times(2\times2^{x+2}+2^2\times2^{x+2})$

$\qquad\qquad\qquad\qquad\quad=3^{x+2}\times2^{x+2}\times(2+2^2)$

$\qquad\qquad\qquad\qquad\quad=(3\times2)^{x+2}\times6$

$\qquad\qquad\qquad\qquad\quad=6^{x+2}\times6$

$\qquad\qquad\qquad\qquad\quad=6^{x+3}$

즉 $6^{x+3}=a^{x+b}$이므로 $a=6,\ b=3$

$\therefore a+b=6+3=9$

전략

$2^{x+3}=2\times2^{x+2},\ 2^{x+4}=2^2\times2^{x+2}$임을 이용하여 좌변을 간단히 한다.

08 답 (1) 1 (2) 12

(1) $\langle x\rangle2=6(m-2)$에서 $x=2^{6(m-2)}$

$\quad\langle y\rangle4=3m-6$에서

$\quad y=4^{3m-6}=(2^2)^{3m-6}=2^{6m-12}=2^{6(m-2)}$

$\quad\therefore\dfrac{x}{y}=\dfrac{2^{6(m-2)}}{2^{6(m-2)}}=1$

(2) $\langle x\rangle(2k^2)=4$에서 $x=(2k^2)^4=16k^8$

$\quad\langle y\rangle(2k)=2$에서 $y=(2k)^2=4k^2$

$\quad\Big\langle\dfrac{z}{2}\Big\rangle\dfrac{k^2}{2}=3$에서 $\dfrac{z}{2}=\Big(\dfrac{k^2}{2}\Big)^3=\dfrac{k^6}{8}\qquad\therefore z=\dfrac{k^6}{4}$

$\quad\dfrac{xz}{y}=16k^8\times\dfrac{k^6}{4}\div4k^2=16k^8\times\dfrac{k^6}{4}\times\dfrac{1}{4k^2}=k^{12}$이므로

$\quad\Big\langle\dfrac{xz}{y}\Big\rangle k=12\qquad\therefore A=12$

전략

약속에 따라 x,y,z를 거듭제곱의 꼴로 나타낸다.

09 답 6

$(2^5+2^5+2^5+2^5)(5^4+5^4+5^4+5^4+5^4)$

$=(4\times2^5)\times(5\times5^4)$

$=4\times2^5\times5^5=4\times(2\times5)^5$

$=4\times10^5=400000$

따라서 주어진 수는 6자리의 자연수이므로 $n=6$

전략

$\underbrace{a^m+a^m+a^m+\cdots+a^m}_{a\text{개}}=a\times a^m=a^{m+1}$

참고

$2^n\times5^n=(2\times5)^n=10^n$임을 이용하여 주어진 수를 $a\times10^n$(a,n은 자연수)의 꼴로 나타낸다.

이때 ($a\times10^n$의 자릿수)=(a의 자릿수)$+n$이다.

10 답 36

$\dfrac{2^{15}\times15^{20}}{45^{10}}=\dfrac{2^{15}\times(3\times5)^{20}}{(3^2\times5)^{10}}$

$\qquad\qquad\quad=\dfrac{2^{15}\times3^{20}\times5^{20}}{3^{20}\times5^{10}}$

$\qquad\qquad\quad=2^{15}\times5^{10}$

$\qquad\qquad\quad=2^5\times(2\times5)^{10}$

$\qquad\qquad\quad=32\times10^{10}$

따라서 주어진 수는 12자리의 자연수이므로 $a=12$이고, 최고 자리의 숫자는 3이므로 $b=3$

$\therefore ab=12\times3=36$

전략

지수법칙을 이용하여 주어진 수를 $a\times10^n$(a,n은 자연수)의 꼴로 나타낸다.

11 답 8

$\dfrac{2^9+2^{18}+2^{27}}{1+2^9+2^{18}}=\dfrac{2^9(1+2^9+2^{18})}{1+2^9+2^{18}}=2^9$이므로

$5\times\Big(\dfrac{2^9+2^{18}+2^{27}}{1+2^9+2^{18}}\Big)^{100}=5\times(2^9)^{100}=5\times2^{900}$

$\qquad\qquad\qquad\qquad\qquad=5\times2\times2^{899}$

$\qquad\qquad\qquad\qquad\qquad=2^{899}\times10$

$2^1=2,\ 2^2=4,\ 2^3=8,\ 2^4=16,\ 2^5=32,\ \cdots$와 같이 2의 거듭제곱의 일의 자리의 숫자는 2, 4, 8, 6의 4개의 숫자가 반복하여 나타난다.

이때 $899=4\times224+3$이므로 2^{899}의 일의 자리의 숫자는 8이다.

따라서 $2^{899}\times10$의 십의 자리의 숫자는 8이다.

전략

$2^9+2^{18}+2^{27}=2^9\times1+2^9\times2^9+2^9\times2^{18}$

$\qquad\qquad\qquad\quad=2^9(1+2^9+2^{18})$

참고

$a\times10$ (a는 자연수)의 꼴로 나타내어진 자연수의 십의 자리의 숫자는 a의 일의 자리의 숫자와 같다.

12 답 12

$\dfrac{1}{4}xy^2\times\Big(\dfrac{2}{3}x^2y^2\Big)^2\div\Big(-\dfrac{1}{3}xy\Big)^3$

$=\dfrac{1}{4}xy^2\times\dfrac{4}{9}x^4y^4\div\Big(-\dfrac{1}{27}x^3y^3\Big)$

$=\dfrac{xy^2}{4}\times\dfrac{4x^4y^4}{9}\times\Big(-\dfrac{27}{x^3y^3}\Big)$

$=-3x^2y^3$

$=-3\times2^2\times(-1)^3$

$=-3\times4\times(-1)=12$

$$\dfrac{4a-2b-c}{5a-3b}=\dfrac{4\times 3k-2\times 6k-4k}{5\times 3k-3\times 6k}$$

$$=\dfrac{12k-12k-4k}{15k-18k}$$

$$=\dfrac{-4k}{-3k}=\dfrac{4}{3}$$

> **전략**
> $a:b=1:2,\ b:c=3:2$에서 2와 3의 최소공배수를 이용하여 $a:b:c$
> 를 구한다.
> 2와 3의 최소공배수는 6이므로
> $a:b=1:2=3:6,\ b:c=3:2=6:4$
> 즉 $a:b:c=3:6:4$

> **전략**
> $a^m=a^n$이면 $m=n$이다.

26 답 $b=\dfrac{50(c-a)}{100-c}$

(소금의 양)$=\dfrac{(\text{소금물의 농도})}{100}\times(\text{소금물의 양})$이므로

$\dfrac{a}{100}\times 50+b=\dfrac{c}{100}(50+b)$

양변에 100을 곱하면

$50a+100b=c(50+b),\ 50a+100b=50c+bc$

$100b-bc=50c-50a,\ b(100-c)=50(c-a)$

$\therefore b=\dfrac{50(c-a)}{100-c}$

> **전략**
> (1) (소금물의 농도)$=\dfrac{(\text{소금의 양})}{(\text{소금물의 양})}\times 100\ (\%)$
> (2) (소금의 양)$=\dfrac{(\text{소금물의 농도})}{100}\times(\text{소금물의 양})$

STEP 3 | 전교 1등 확실하게 굳히는 문제 pp. 028~030

1 3개	**2** -2	**3** 9	**4** ⑤

5 (1) $\left(\dfrac{2}{5}\right)^5$ (2) 133 **6** $\dfrac{32}{27}$ **7** $\dfrac{46}{9}$

8 $b=100-\dfrac{10000q}{p(100+a)}$

---

27 답 $\dfrac{49}{9}$

$\dfrac{x+y}{2x-y}=3$에서 $x+y=3(2x-y)$

$x+y=6x-3y,\ 5x=4y$

즉 $x:y=4:5$이므로 $x=4k,\ y=5k\,(k\neq 0)$라 하면

$\dfrac{x}{x+y}-\dfrac{y}{x-y}=\dfrac{4k}{4k+5k}-\dfrac{5k}{4k-5k}$

$=\dfrac{4}{9}-(-5)=\dfrac{49}{9}$

> **전략**
> $\dfrac{x+y}{2x-y}=3$임을 이용하여 x와 y의 값의 비를 구한다.

---

1 답 3개

$(-1)^n\times(-3)^{m-4}\times(-3)^{n+2}=(-9)^3\times(-27)$에서

$(-1)^n\times(-3)^{m-4+n+2}=(-3^2)^3\times(-3^3)$

$(-1)^n\times(-1)^{m+n-2}\times 3^{m+n-2}=-3^6\times(-3^3)$

$(-1)^{m+2n-2}\times 3^{m+n-2}=3^9$ ····· ㉠ ····· 30 %

이때 ㉠의 우변이 양수이므로 $(-1)^{m+2n-2}$의 지수 $m+2n-2$가 짝수이어야 한다. 그런데 $2n$, 2는 짝수이므로 m도 짝수이어야 한다.

따라서 ㉠에서 $3^{m+n-2}=3^9$이므로

$m+n-2=9\quad \therefore m+n=11$ ····· 40 %

m은 짝수이고 $m>4$이므로 $m+n=11$을 만족하는 순서쌍 (m,n)은 $(6,5),(8,3),(10,1)$의 3개이다. ····· 30 %

> **전략**
> 지수법칙을 이용하여 주어진 식을 간단히 정리하였을 때, 우변이 양수이므로 $(-1)^{m+2n-2}$의 지수 $m+2n-2$는 짝수이어야 한다.

---

28 답 $-\dfrac{7}{5}$

$\dfrac{1}{a}:\dfrac{1}{b}=2:3$에서 $\dfrac{3}{a}=\dfrac{2}{b},\ 2a=3b$

즉 $a:b=3:2$이므로 $a=3k,\ b=2k\,(k\neq 0)$라 하면

$\dfrac{a}{a+b}-\dfrac{b}{a-b}=\dfrac{3k}{3k+2k}-\dfrac{2k}{3k-2k}$

$=\dfrac{3}{5}-2=-\dfrac{7}{5}$

> **전략**
> $\dfrac{1}{a}:\dfrac{1}{b}=2:3$임을 이용하여 a와 b의 값의 비를 구한다.

---

2 답 -2

$ab=-1$이고 n이 홀수이므로 $a^nb^n=(ab)^n=-1$

$a^n+\dfrac{1}{a^n}+b^n+\dfrac{1}{b^n}+a^nb^n+\dfrac{1}{a^nb^n}$

$=a^n+b^n+\dfrac{1}{a^n}+\dfrac{1}{b^n}+(-1)+\dfrac{1}{-1}$

$=a^n+b^n+\dfrac{a^n+b^n}{a^nb^n}-2$

$=a^n+b^n-(a^n+b^n)-2$

$=-2$

> **전략**
> 지수가 홀수일 때, 음수의 거듭제곱은 음수이다.

---

29 답 $\dfrac{4}{3}$

$a:b=1:2,\ b:c=3:2$에서

$a:b:c=3:6:4$

$a=3k,\ b=6k,\ c=4k\,(k\neq 0)$라 하면

3 답 9

$(ab)^{1319}=a^{1319}b^{1319}$의 일의 자리의 숫자가 3이고, a^{1319}의 일의 자리의 숫자가 7이므로 b^{1319}의 일의 자리의 숫자는 9이어야 한다.

$n=1, 2, 3, 4, 5, \cdots$일 때

2^n의 일의 자리의 숫자는 2, 4, 8, 6, 2, $\cdots$

3^n의 일의 자리의 숫자는 3, 9, 7, 1, 3, $\cdots$

이때 $1319=4\times329+3$이므로 b의 일의 자리의 숫자가 3일 때, b^{1319}의 일의 자리의 숫자는 7이다.

4^n의 일의 자리의 숫자는 4, 6, 4, 6, 4, $\cdots$

5^n의 일의 자리의 숫자는 5, 5, 5, 5, 5, $\cdots$

6^n의 일의 자리의 숫자는 6, 6, 6, 6, 6, $\cdots$

7^n의 일의 자리의 숫자는 7, 9, 3, 1, 7, $\cdots$

이때 $1319=4\times329+3$이므로 b의 일의 자리의 숫자가 7일 때, b^{1319}의 일의 자리의 숫자는 3이다.

8^n의 일의 자리의 숫자는 8, 4, 2, 6, 8, $\cdots$

9^n의 일의 자리의 숫자는 9, 1, 9, 1, 9, $\cdots$

이때 $1319=2\times659+1$이므로 b의 일의 자리의 숫자가 9일 때, b^{1319}의 일의 자리의 숫자는 9이다.

따라서 b^{1319}의 일의 자리의 숫자가 9가 되는 b의 일의 자리의 숫자는 9이다.

> **전략**
>
> 두 자연수 a, b에 대하여 ab의 일의 자리의 숫자는
> (a의 일의 자리의 숫자)$\times$(b의 일의 자리의 숫자)의 일의 자리의 숫자와 같다.

4 답 ⑤

종이 A를 반으로 접을 때마다 종이 A의 두께는 2배가 된다.

종이 A를 1번 접었을 때, 종이 A의 두께는 0.5×2 mm

종이 A를 2번 접었을 때, 종이 A의 두께는

$0.5\times2\times2=0.5\times2^2$ (mm)

종이 A를 3번 접었을 때, 종이 A의 두께는

$0.5\times2^2\times2=0.5\times2^3$ (mm)

즉 종이 A를 n번 접었을 때, 종이 A의 두께는 0.5×2^n mm

같은 방법으로 종이 B를 삼등분하여 접을 때마다 종이 B의 두께는 3배가 되므로 종이 B를 n번 접었을 때, 종이 B의 두께는 0.2×3^n mm

① 종이 A를 n번 접었을 때, 종이 A의 두께는 0.5×2^n mm

② 종이 B를 n번 접었을 때, 종이 B의 두께는 0.2×3^n mm

③ 종이 A를 6번 접었을 때, 종이 A의 두께는

$0.5\times2^6=\dfrac{1}{2}\times2^6=2^5=32$ (mm)

④ 종이 B를 7번 접었을 때, 종이 B의 두께는 0.2×3^7 mm

⑤ 두 종이 A, B를 각각 1번 접었을 때

(종이 A의 두께)$=0.5\times2=\dfrac{1}{2}\times2=1$ (mm)

(종이 B의 두께)$=0.2\times3=0.6$ (mm)

두 종이 A, B를 각각 2번 접었을 때

(종이 A의 두께)$=0.5\times2^2=\dfrac{1}{2}\times2^2=2$ (mm)

(종이 B의 두께)$=0.2\times3^2=1.8$ (mm)

두 종이 A, B를 각각 3번 접었을 때

(종이 A의 두께)$=0.5\times2^3=\dfrac{1}{2}\times2^3=2^2=4$ (mm)

(종이 B의 두께)$=0.2\times3^3=5.4$ (mm)

두 종이 A, B를 각각 4번 접었을 때

(종이 A의 두께)$=0.5\times2^4=\dfrac{1}{2}\times2^4=2^3=8$ (mm)

(종이 B의 두께)$=0.2\times3^4=16.2$ (mm)

즉 두 종이 A, B를 각각 3번 접었을 때부터 종이 B의 두께가 종이 A의 두께보다 두꺼워진다.

따라서 옳은 것은 ⑤이다.

> **전략**
>
> 종이를 접었을 때, 종이의 두께를 지수법칙을 이용하여 구해 본다.

5 답 (1) $\left(\dfrac{2}{5}\right)^5$ (2) 133

(1) 별의 각 등급 사이에는 2.5배, 즉 $\dfrac{5}{2}$배의 밝기 차이가 나므로 1등성의 밝기를 1이라 하면 2등성, 3등성, 4등성, 5등성, 6등성의 밝기는 각각 $\dfrac{2}{5}, \left(\dfrac{2}{5}\right)^2, \left(\dfrac{2}{5}\right)^3, \left(\dfrac{2}{5}\right)^4, \left(\dfrac{2}{5}\right)^5$이다.

(2) 2등성인 별의 밝기는 $\dfrac{2}{5}$이고, 5등성인 별의 밝기는 $\left(\dfrac{2}{5}\right)^4$이므로

$\dfrac{2}{5}\div\left(\dfrac{2}{5}\right)^4=\dfrac{2}{5}\times\dfrac{5^4}{2^4}=\dfrac{5^3}{2^3}=\dfrac{125}{8}$

따라서 $m=8, n=125$이므로

$m+n=8+125=133$

> **전략**
>
> 가장 밝게 보이는 별이 1등성, 가장 어둡게 보이는 별이 6등성임에 주의한다.

6 답 $\dfrac{32}{27}$

$v=\dfrac{P}{4\eta l}(R^2-r^2)$에 $r=\dfrac{R}{3}, v=v_1$을 대입하면

$v_1=\dfrac{P}{4\eta l}\left\{R^2-\left(\dfrac{R}{3}\right)^2\right\}=\dfrac{P}{4\eta l}\times\dfrac{8}{9}R^2=\dfrac{2PR^2}{9\eta l}$

$v=\dfrac{P}{4\eta l}(R^2-r^2)$에 $r=\dfrac{R}{2}, v=v_2$를 대입하면

$v_2=\dfrac{P}{4\eta l}\left\{R^2-\left(\dfrac{R}{2}\right)^2\right\}=\dfrac{P}{4\eta l}\times\dfrac{3}{4}R^2=\dfrac{3PR^2}{16\eta l}$

$\therefore \dfrac{v_1}{v_2}=v_1\div v_2$

$=\dfrac{2PR^2}{9\eta l}\div\dfrac{3PR^2}{16\eta l}$

$=\dfrac{2PR^2}{9\eta l}\times\dfrac{16\eta l}{3PR^2}=\dfrac{32}{27}$

7 답 $\dfrac{46}{9}$

$A=2x-0.\dot{1}\times y=2x-\dfrac{1}{9}y$

$B=0.\dot{6}\times x+0.0\dot{2}\times y$

$\quad=\dfrac{6}{9}x+\dfrac{2}{90}y$

$\quad=\dfrac{2}{3}x+\dfrac{1}{45}y$

$(A\circledcirc B)\circledcirc(A\bigstar B)=(2A-3B)\circledcirc(A+4B)$

$\qquad\qquad\qquad\quad=2(2A-3B)-3(A+4B)$

$\qquad\qquad\qquad\quad=4A-6B-3A-12B$

$\qquad\qquad\qquad\quad=A-18B$

$\qquad\qquad\qquad\quad=\left(2x-\dfrac{1}{9}y\right)-18\left(\dfrac{2}{3}x+\dfrac{1}{45}y\right)$

$\qquad\qquad\qquad\quad=2x-\dfrac{1}{9}y-12x-\dfrac{2}{5}y$

$\qquad\qquad\qquad\quad=-10x-\dfrac{23}{45}y$

따라서 $a=-10$, $b=-\dfrac{23}{45}$이므로

$ab=-10\times\left(-\dfrac{23}{45}\right)=\dfrac{46}{9}$

8 답 $b=100-\dfrac{10000q}{p(100+a)}$

(정가)$=$(원가)$\times\{1+$(이익률)$\}$

$\qquad=p\left(1+\dfrac{a}{100}\right)=\dfrac{p(100+a)}{100}$

(할인가)$=$(정가)$\times\{1-$(할인율)$\}$

$\qquad\quad=\dfrac{p(100+a)}{100}\times\left(1-\dfrac{b}{100}\right)$

$\qquad\quad=\dfrac{p(100+a)}{100}\times\dfrac{100-b}{100}$

$\qquad\quad=\dfrac{p(100+a)(100-b)}{10000}$

즉 $q=\dfrac{p(100+a)(100-b)}{10000}$에서

$10000q=p(100+a)(100-b)$, $100-b=\dfrac{10000q}{p(100+a)}$

$\therefore b=100-\dfrac{10000q}{p(100+a)}$

01 일차부등식과 그 활용

[확인 ①] 답 ①, ③

① $-0.8+1.5<0$ (거짓) ② $-\dfrac{1}{2}+10\geq7$ (참)

③ $-3-0\geq0$ (거짓) ④ $-1+8<12$ (참)

⑤ $10+9>2$ (참)

따라서 해가 아닌 것은 ①, ③이다.

[확인 ②] 답 ④

$-\dfrac{a}{2}+3>-\dfrac{b}{2}+3$에서 $-\dfrac{a}{2}>-\dfrac{b}{2}$ $\therefore a<b$

① $a<b$에서 $a-5<b-5$

② $a<b$에서 $3a<3b$ $\therefore 3a+c<3b+c$

③ $a<b$에서 $8a-1<8b-1$ $\therefore \dfrac{8a-1}{2}<\dfrac{8b-1}{2}$

④ $a<b$에서 $-a>-b$ $\therefore \dfrac{5}{2}-a>\dfrac{5}{2}-b$

⑤ $a<b$에서 $-2a>-2b$ $\therefore \dfrac{1}{3}-2a>\dfrac{1}{3}-2b$

따라서 옳은 것은 ④이다.

[확인 ③] 답 (1) -4 (2) 4

(1) $0.2(x-5)<1+0.6x$의 양변에 10을 곱하면

$\quad 2(x-5)<10+6x$

$\quad 2x-10<10+6x$, $-4x<20$

$\quad \therefore x>-5$

따라서 일차부등식을 만족하는 x의 값 중 가장 작은 정수는 -4이다.

(2) $3-\dfrac{x-2}{4}-\dfrac{2x-1}{2}<0$의 양변에 4를 곱하면

$\quad 12-(x-2)-2(2x-1)<0$

$\quad 12-x+2-4x+2<0$, $-5x<-16$

$\quad \therefore x>\dfrac{16}{5}$

따라서 일차부등식을 만족하는 x의 값 중 가장 작은 정수는 4이다.

[확인 ④] 답 6 km

x km를 올라갔다가 내려온다고 하면

$\dfrac{x}{2}+\dfrac{x}{3}\leq5$ $\therefore x\leq6$

따라서 올라갈 수 있는 거리는 최대 6 km이다.

1 (1) × (2) × (3) × (4) × (5) × (6) ◯ (7) ◯ (8) ◯
    이유는 풀이 참조

2-1 $x \geq \dfrac{7}{a}$	**2-2** $x > -3$
3-1 2	**3-2** 3
4-1 $-12 \leq a < -9$	**4-2** $-12 < a \leq -9$
5-1 4	**5-2** 23, 25, 27
6-1 100 g	**6-2** 200 g
7-1 17명	**7-2** 26권

---

1 📖 (1) × (2) × (3) × (4) × (5) × (6) ◯ (7) ◯ (8) ◯
    이유는 풀이 참조

(1) $c > 0$일 때, $a > b$이면 $ac > bc$
    $c = 0$일 때, $a > b$이면 $ac = bc$
    $c < 0$일 때, $a > b$이면 $ac < bc$

(2) $a = 3$, $b = -2$일 때, $\dfrac{1}{a} = \dfrac{1}{3}$, $\dfrac{1}{b} = -\dfrac{1}{2}$이므로
    $a > b$이지만 $\dfrac{1}{a} > \dfrac{1}{b}$

(3) $a = 2$, $b = -3$일 때, $a^2 = 4$, $b^2 = 9$이므로
    $a > b$이지만 $a^2 < b^2$

(4) $a = 2$, $b = -3$일 때, $|a| = 2$, $|b| = 3$이므로
    $a > b$이지만 $|a| < |b|$

(5) $0 < a < 1$일 때, $a^2 < a$
    $a = 1$일 때, $a^2 = a$
    $a > 1$일 때, $a^2 > a$

(6) $c \neq 0$일 때, $c^2 > 0$이므로
    $a > b$이면 $ac^2 > bc^2$

(7) $a < 0 < b$이면 $a < b$이고 $a < 0$이므로
    $a < b$의 양변에 a를 곱하면 $a^2 > ab$

(8) $a < 0$이면 $\dfrac{1}{a} < 0$, $b > 0$이면 $\dfrac{1}{b} > 0$
    따라서 $a < 0 < b$이면 $\dfrac{1}{a} < \dfrac{1}{b}$

2-1 📖 $x \geq \dfrac{7}{a}$

$ax - 5 \leq 2$에서 $ax \leq 7$
이때 $a < 0$이므로 $x \geq \dfrac{7}{a}$

2-2 📖 $x > -3$

$a > 0$이므로 $-a < 0$
$-ax < 3a$의 양변을 $-a$로 나누면
$x > -3$

3-1 📖 2

$6 + ax \geq -4$에서 $ax \geq -10$
이때 부등식의 해 중 가장 작은 수가 -5이므로 $x \geq -5$

즉 $ax \geq -10$에서 $a > 0$이고 $x \geq -\dfrac{10}{a}$

따라서 $-\dfrac{10}{a} = -5$이므로 $a = 2$

3-2 📖 3

$4 - ax \geq -8$에서 $-ax \geq -12$
이때 부등식을 만족하는 x의 값 중 가장 큰 값이 4이므로 $x \leq 4$
즉 $-ax \geq -12$에서 $-a < 0$이고 $x \leq \dfrac{12}{a}$

따라서 $\dfrac{12}{a} = 4$이므로 $a = 3$

4-1 📖 $-12 \leq a < -9$

$2x + a < -x$에서 $3x < -a$ $\therefore x < -\dfrac{a}{3}$

이때 일차부등식을 만족하는 자연수 x의 개수가 3개이므로 오른쪽 그림에서

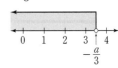

$3 < -\dfrac{a}{3} \leq 4$, $9 < -a \leq 12$

$\therefore -12 \leq a < -9$

4-2 📖 $-12 < a \leq -9$

$2x + a \leq -x$에서 $3x \leq -a$ $\therefore x \leq -\dfrac{a}{3}$

이때 일차부등식을 만족하는 자연수 x의 개수가 3개이므로 오른쪽 그림에서

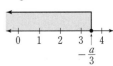

$3 \leq -\dfrac{a}{3} < 4$, $9 \leq -a < 12$

$\therefore -12 < a \leq -9$

5-1 📖 4

어떤 짝수를 x라 하면
$6x - 10 < 4x - 1$ $\therefore x < \dfrac{9}{2}$
따라서 구하는 짝수 중 가장 큰 수는 4이다.

5-2 📖 23, 25, 27

연속하는 세 홀수를 $x-2$, x, $x+2$라 하면
$(x-2) + x + (x+2) < 76$ $\therefore x < \dfrac{76}{3}$
이때 x는 홀수이므로 구하는 세 홀수는 23, 25, 27이다.

6-1 📖 100 g

10 %의 소금물 400 g에 들어 있는 소금의 양은
$\dfrac{10}{100} \times 400 = 40$ (g)
물을 x g 더 넣는다고 하면
$40 \leq \dfrac{8}{100} \times (400 + x)$ $\therefore x \geq 100$
따라서 물을 100 g 이상 넣어야 한다.

6-2 ❗ 200 g

15 %의 소금물의 양을 x g이라 하면

$$\frac{10}{100} \times 300 + \frac{15}{100} \times x \geq \frac{12}{100} \times (300+x) \qquad \therefore x \geq 200$$

따라서 15 %의 소금물을 200 g 이상 섞어야 한다.

7-1 ❗ 17명

x명이 입장한다고 하면

$$5000x > 5000 \times \frac{80}{100} \times 20 \qquad \therefore x > 16$$

따라서 17명 이상일 때, 단체 입장권을 사는 것이 유리하다.

7-2 ❗ 26권

책을 x권 빌린다고 하면

$$1000x > 5000 + 800x \qquad \therefore x > 25$$

따라서 26권 이상 빌릴 때, 회원으로 가입하여 빌리는 것이 유리하다.

STEP 2 | 반드시 등수 올리는 문제   pp. 037~043

01 ⑤	**02** ①, ④	**03** -45
04 $5a+5b$	**05** (1) 5, 6 (2) 1, 2	**06** $-2, -1, 0$
07 $x < -\dfrac{1}{2}$	**08** $\dfrac{1}{3}$	
09 $a>2$일 때, $x>-3$ $a=2$일 때, 해가 없다. $a<2$일 때, $x<-3$		
10 $a=4, b=1$	**11** -7	**12** $x < \dfrac{3}{4}$
13 $x > -1$	**14** $\dfrac{15}{2} < k \leq 10$	**15** 8개
16 19	**17** 62.5점	**18** $\dfrac{5}{17}, \dfrac{7}{23}, \dfrac{9}{29}$
19 시속 3.6 km	**20** 1500 m	**21** 10 %
22 75 g	**23** 38명	**24** 40000 km
25 24 cm	**26** 18개	**27** 12분
28 2명		

01 ❗ ⑤

① $a<b$에서 $2a<2b$ $\therefore 2a+3 < 2b+3$

② $a \geq b$에서 $-\dfrac{a}{3} \leq -\dfrac{b}{3}$ $\therefore -\dfrac{a}{3} - 2 \leq -\dfrac{b}{3} - 2$

③ $-3-a < -3-b$에서 $-a < -b$ $\therefore a > b$

④ $2a \leq b$에서 $2a-1 \leq b-1$
   $\therefore -2(2a-1) \geq -2(b-1)$

⑤ $\dfrac{2a-2}{3} > \dfrac{-3b-2}{3}$에서 $2a-2 > -3b-2$
   $2a > -3b$ $\therefore -2a < 3b$

따라서 옳지 않은 것은 ⑤이다.

> **전략**
> 부등식의 성질을 이용하여 식을 변형한다.

02 ❗ ①, ④

$a>b$이고 $2a<b$이므로 $2a<b<a$

즉 $2a<a$이므로 $a<0$ $\therefore b<a<0$

① $b<a<0$이므로 $a^2<b^2$
   $-a^2 > -b^2$ $\therefore 5-a^2 > 5-b^2$

② $2a<b$이므로 $-2a > -b$
   이때 $b<0$이므로 $-b>0$ $\therefore -b>b$
   즉 $-2a>-b>b$이므로 $-2a>b$

③ $b<a<0$이므로 $2b<2a<a<0$ $\therefore a>2b$

④ $b<a<0$이므로 $\dfrac{a}{b}<1, \dfrac{b}{a}>1$ $\therefore \dfrac{a}{b}<\dfrac{b}{a}$

⑤ $b<a<0$이므로
   $c>0$이면 $bc<ac$
   $c<0$이면 $bc>ac$

따라서 옳은 것은 ①, ④이다.

03 ❗ -45

$-4 < -2x \leq 6$, $-6 < -2y < 0$

즉 $-10 < -2x-2y < 6$이므로 A의 값 중 가장 큰 정수는 5, 가장 작은 정수는 -9이다.

$\therefore 5 \times (-9) = -45$

> **전략**
> 먼저 $-2x, -2y$의 범위를 구한다.

04 ❗ $5a+5b$

$a-b \leq x \leq a+b$에서

$3a-3b \leq 3x \leq 3a+3b$ ······ ㉠

$-a-b \leq y \leq -a+b$에서

$2a-2b \leq -2y \leq 2a+2b$ ······ ㉡

㉠, ㉡에서 $5a-5b \leq 3x-2y \leq 5a+5b$

따라서 $3x-2y$의 최댓값은 $5a+5b$이다.

> **전략**
> $a \leq x \leq b, c \leq y \leq d$일 때
> (1) $a+c \leq x+y \leq b+d$
> (2) $a-d \leq x-y \leq b-c$

05 ❗ (1) 5, 6 (2) 1, 2

(1) $1<a<2, 3<b<4$이므로 $4<a+b<6$
   $4<a+b \leq 5$일 때, $[a+b]=5$
   $5<a+b<6$일 때, $[a+b]=6$
   따라서 $[a+b]$가 나타낼 수 있는 정수는 5, 6이다.

(2) $1<a<2$, $3<b<4$이므로 $1<b-a<3$

  $1<b-a<2$일 때, $\{b-a\}=1$

  $2\le b-a<3$일 때, $\{b-a\}=2$

  따라서 $\{b-a\}$가 나타낼 수 있는 정수는 1, 2이다.

06 답 -2, -1, 0

$|x|\le 2$를 만족하는 정수 x의 값은 -2, -1, 0, 1, 2이다.

$x-6<-2x-3$에서 $3x<3$

$\therefore x<1$

따라서 $x<1$을 만족하는 정수 x의 값은 -2, -1, 0이다.

07 답 $x<-\dfrac{1}{2}$

$ax+6>0$에서 $ax>-6$

이때 해가 $x<3$이므로 $a<0$

따라서 $x<-\dfrac{6}{a}$이므로

$-\dfrac{6}{a}=3$ $\therefore a=-2$

일차부등식 $ax>1$, 즉 $-2x>1$의 해는 $x<-\dfrac{1}{2}$

08 답 $\dfrac{1}{3}$

$-ax+5<-2x+a+8$에서 $(2-a)x<a+3$

이때 해가 $x<2$이므로

$2-a>0$ $\therefore a<2$

따라서 $x<\dfrac{a+3}{2-a}$이므로

$\dfrac{a+3}{2-a}=2$, $a+3=2(2-a)$

$a+3=4-2a$, $3a=1$

$\therefore a=\dfrac{1}{3}$

09 답 $a>2$일 때, $x>-3$
      $a=2$일 때, 해가 없다.
      $a<2$일 때, $x<-3$

$ax+3a>2x+6$에서 $ax-2x>6-3a$

$(a-2)x>-3(a-2)$

(i) $a-2>0$, 즉 $a>2$일 때

  $(a-2)x>-3(a-2)$의 양변을 $a-2$로 나누면

  $x>-3$

(ii) $a-2=0$, 즉 $a=2$일 때

  $0\times x>0$이므로 해가 없다.

(iii) $a-2<0$, 즉 $a<2$일 때

  $(a-2)x>-3(a-2)$의 양변을 $a-2$로 나누면

  $x<-3$

10 답 $a=4$, $b=1$

$5x-8\ge 2(x-1)$에서 $5x-8\ge 2x-2$

$3x\ge 6$ $\therefore x\ge 2$

$bx-6\le a(x-3)$에서 $bx-6\le ax-3a$

$ax-bx\ge 3a-6$, $(a-b)x\ge 3a-6$

이때 두 일차부등식의 해가 서로 같으므로 $a-b>0$

따라서 $x\ge\dfrac{3a-6}{a-b}$이므로

$\dfrac{3a-6}{a-b}=2$, $3a-6=2(a-b)$

$3a-6=2a-2b$, $a+2b=6$

따라서 $a+2b=6$을 만족하는 자연수 a, b의 값은

$a=4$, $b=1$ 또는 $a=2$, $b=2$

그런데 $a-b>0$이어야 하므로

$a=4$, $b=1$

11 답 -7

(i) $b=3$일 때

  $ax-b>2x$에서 $ax-3>2x$

  $(a-2)x>3$

  이때 해가 $x<\dfrac{1}{2}$이므로 $a-2<0$

  따라서 $x<\dfrac{3}{a-2}$이므로

  $\dfrac{3}{a-2}=\dfrac{1}{2}$, $a-2=6$ $\therefore a=8$

  그런데 $a-2>0$이므로 조건을 만족하지 않는다.

(ii) $b=-3$일 때

$ax-b>2x$에서 $ax+3>2x$

$(a-2)x>-3$

이때 해가 $x<\frac{1}{2}$이므로 $a-2<0$

따라서 $x<\frac{-3}{a-2}$이므로

$\frac{-3}{a-2}=\frac{1}{2}$, $a-2=-6$ $\quad\therefore a=-4$

(i), (ii)에서 $a=-4$, $b=-3$이므로

$a+b=-4+(-3)=-7$

전략

$|b|=3$이므로 $b=3$인 경우와 $b=-3$인 경우로 나누어 조건을 만족하는 a의 값을 구한다.

12 답 $x<\frac{3}{4}$

$(2a+b)x-a-3b>0$에서 $(2a+b)x>a+3b$

이때 해가 $x<\frac{2}{3}$이므로 $2a+b<0$

따라서 $x<\frac{a+3b}{2a+b}$이므로

$\frac{a+3b}{2a+b}=\frac{2}{3}$, $3(a+3b)=2(2a+b)$

$3a+9b=4a+2b$ $\quad\therefore a=7b$

$a=7b$를 $2a+b<0$에 대입하면

$14b+b<0$, $15b<0$ $\quad\therefore b<0$

$a=7b$를 $(a-3b)x+2a-17b>0$에 대입하면

$(7b-3b)x+14b-17b>0$

$4bx-3b>0$, $4bx>3b$ $\quad\therefore x<\frac{3}{4}$ ($\because b<0$)

전략

해가 $x<\frac{2}{3}$임을 이용하여 $2a+b$의 부호를 구한다.

13 답 $x>-1$

조건 (가)에서 $a>0$, $b<0$ 또는 $a<0$, $b>0$

(i) $a>0$, $b<0$일 때

조건 (나), (다)에서 $c<b<0<a$

(ii) $a<0$, $b>0$일 때

조건 (나)에서 $c>0$

그런데 조건 (다)를 만족하지 않는다.

(i), (ii)에서 $c<b<0<a$

$(a+b)x-c+a>cx-b$에서

$(a+b)x-cx>-b+c-a$

$(a+b-c)x>-(a+b-c)$

이때 $c<b<0<a$이므로 $a+b-c>0$

$(a+b-c)x>-(a+b-c)$의 양변을 $a+b-c$로 나누면

$x>\frac{-(a+b-c)}{a+b-c}$ $\quad\therefore x>-1$

전략

주어진 일차부등식을 간단히 하고 조건을 이용하여 x의 계수의 부호를 구한다.

14 답 $\frac{15}{2}<k\leq 10$

$(x-1)◎(3x-2)>3◎k$에서

$(x-1)-2(3x-2)+3>3-2k+3$

$-5x+6>6-2k$, $-5x>-2k$

$\therefore x<\frac{2}{5}k$

이때 이 부등식을 만족하는 정수 x의 최댓값이 3이므로 오른쪽 그림에서

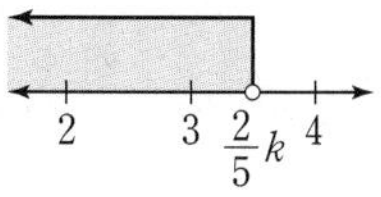

$3<\frac{2}{5}k\leq 4$, $15<2k\leq 20$

$\therefore \frac{15}{2}<k\leq 10$

15 답 8개

$3\leq\left\{\frac{x}{2}+1\right\}<7$에서 $\left\{\frac{x}{2}+1\right\}=3, 4, 5, 6$

즉 $2.5\leq\frac{x}{2}+1<6.5$이므로 $1.5\leq\frac{x}{2}<5.5$

$\therefore 3\leq x<11$

따라서 주어진 부등식을 만족하는 자연수 x의 개수는 3, 4, 5, 6, 7, 8, 9, 10의 8개이다.

전략

$\{n\}=a$(a는 정수)라 하면 n의 값의 범위는 $a-0.5\leq n<a+0.5$이다.

16 답 19

처음 두 자리의 자연수의 십의 자리의 숫자를 x라 하면 일의 자리의 숫자는 $(10-x)$이므로

$10(10-x)+x>3\{10x+(10-x)\}$ $\quad\therefore x<\frac{35}{18}$

이때 x는 1 이상 9 이하의 자연수이므로 $x=1$

따라서 처음 수는 19이다.

전략

십의 자리의 숫자와 일의 자리의 숫자의 합이 10이므로 십의 자리의 숫자를 x로 놓으면 일의 자리의 숫자는 $(10-x)$이다.

17 답 62.5점

남학생 20명의 수학 성적의 평균을 x점이라 하면

$\frac{30\times 75+20x}{30+20}\geq 70$ $\quad\therefore x\geq 62.5$

따라서 남학생 20명의 수학 성적의 평균은 62.5점 이상이어야 한다.

전략

a명의 평균이 x점, b명의 평균이 y점일 때,

(전체 평균)$=\frac{ax+by}{a+b}$(점)

18 답 $\dfrac{5}{17}, \dfrac{7}{23}, \dfrac{9}{29}$

구하는 기약분수를 $\dfrac{x}{y}$ (x, y는 서로소)라 하면

$$\begin{cases} 3x = y-2 & \cdots\cdots \ \text{㉠} \\ \dfrac{2}{5}y < x+3 < \dfrac{1}{2}y & \cdots\cdots \ \text{㉡} \end{cases}$$

㉠에서 $y = 3x+2$ $\cdots\cdots$ ㉢

㉢을 ㉡에 대입하여 풀면

$4 < x < 11$

이때 x는 자연수이고 $y = 3x+2$이므로 순서쌍 (x, y)는

$(5, 17), (6, 20), (7, 23), (8, 26), (9, 29), (10, 32)$이다.

따라서 구하는 기약분수는 $\dfrac{5}{17}, \dfrac{7}{23}, \dfrac{9}{29}$이다.

19 답 시속 $3.6\ \text{km}$

주영이의 속력을 시속 $x\ \text{km}$라 하면

$\dfrac{1.8}{x} \leq \dfrac{30}{60}$ $\quad \therefore x \geq 3.6$

따라서 주영이는 적어도 시속 $3.6\ \text{km}$로 걸어야 한다.

> **전략**
>
> 등교하는 데 걸리는 시간은
>
> (8시 15분)$-$(7시 45분)$=30$(분)$=\dfrac{30}{60}$(시간)

20 답 $1500\ \text{m}$

역에서 약국까지의 거리를 $x\ \text{m}$라 하면

$\dfrac{x}{200} + 5 + \dfrac{x}{200} \leq 20$ $\quad \therefore x \leq 1500$

따라서 역에서 $1500\ \text{m}$ 이내에 있는 약국을 이용하면 된다.

> **전략**
>
> (갈 때 걸린 시간)$+$(중간에 물건을 사는 시간)$+$(올 때 걸린 시간)
> $\leq$(주어진 시간)

21 답 $10\ \%$

처음 소금물 $200\ \text{g}$의 농도를 $x\ \%$라 하면 $x\ \%$의 소금물 $200\ \text{g}$에 들어 있는 소금의 양은

$\dfrac{x}{100} \times 200 = 2x\ (\text{g})$

물 $60\ \text{g}$을 증발시킨 후 소금 $10\ \text{g}$을 넣으므로

(소금물의 양)$=200-60+10=150\ (\text{g})$

(소금의 양)$=2x+10\ (\text{g})$

이때 농도가 $2x\ \%$ 이상이므로

$2x+10 \geq \dfrac{2x}{100} \times 150$ $\quad \therefore x \leq 10$

따라서 처음 소금물의 농도는 최대 $10\ \%$이었다.

> **전략**
>
> 물을 증발시킨 후 소금을 넣은 소금물에서 소금물의 양과 소금의 양을 각각 구한다.

22 답 $75\ \text{g}$

버린 소금물의 양을 $x\ \text{g}$이라 하면

버린 양의 2배만큼, 즉 $2x\ \text{g}$만큼 $5\ \%$의 소금물을 섞으므로

(소금물의 양)$=300-x+2x=x+300\ (\text{g})$

(소금의 양)$=\dfrac{10}{100} \times 300 - \dfrac{10}{100} \times x + \dfrac{5}{100} \times 2x = 30\ (\text{g})$

이때 농도가 $8\ \%$ 이하이므로

$30 \leq \dfrac{8}{100} \times (x+300)$ $\quad \therefore x \geq 75$

따라서 버린 소금물의 양은 최소 $75\ \text{g}$이다.

23 답 38명

1인당 입장료를 a원이라 하고 x명($20 \leq x < 40$)이 입장한다고 하면

$a \times \dfrac{85}{100} \times x > a \times \dfrac{80}{100} \times 40$ $\quad \therefore x > \dfrac{640}{17}$

따라서 38명 이상이면 40명의 단체 입장권을 사는 것이 유리하다.

> **전략**
>
> 1인당 입장료를 a원, 단체 입장객 수를 x명이라 하고 x명이 $15\ \%$ 할인된 입장료와 40명이 $20\ \%$ 할인된 입장료를 각각 구하여 비교한다.

24 답 $40000\ \text{km}$

중고차 A, B의 $1\ \text{L}$당 주행거리는 각각 $10\ \text{km}$, $12\ \text{km}$이므로 $1\ \text{km}$를 주행할 때 필요한 휘발유의 양은 각각 $\dfrac{1}{10}\ \text{L}$, $\dfrac{1}{12}\ \text{L}$이다.

중고차를 구입한 후 $x\ \text{km}$를 탄다고 하면

$4000000 + \dfrac{1}{10} \times x \times 1500 > 5000000 + \dfrac{1}{12} \times x \times 1500$

$\therefore x > 40000$

따라서 중고차를 구입한 후 $40000\ \text{km}$를 넘게 타야 중고차 B를 사는 것이 유리하다.

> **전략**
>
> 중고차 A, B의 $1\ \text{L}$당 주행거리를 이용하여 $1\ \text{km}$를 주행할 때 필요한 휘발유의 양을 각각 구한다.

25 답 $24\ \text{cm}$

$\overline{\text{BP}} = x\ \text{cm}$라 하면 $\overline{\text{PC}} = (40-x)\ \text{cm}$이므로

$\triangle \text{APM}$
$= \square \text{ABCD} - \triangle \text{ABP} - \triangle \text{PCM} - \triangle \text{AMD}$
$= 40 \times 20 - \dfrac{1}{2} \times x \times 20 - \dfrac{1}{2} \times (40-x) \times 10 - \dfrac{1}{2} \times 10 \times 40$
$= -5x + 400$

이때 $\triangle \text{APM}$의 넓이가 $280\ \text{cm}^2$ 이하가 되므로

$-5x + 400 \leq 280$ $\quad \therefore x \geq 24$

따라서 $\overline{\text{BP}}$의 길이는 $24\ \text{cm}$ 이상이어야 한다.

$\overline{\text{BP}}=x$ cm라 할 때, 점 P는 $\overline{\text{BC}}$ 위의 점이므로 $0 \leq x \leq 40$이다.
점 M은 $\overline{\text{CD}}$의 중점이므로
$$\overline{\text{CM}}=\overline{\text{DM}}=\frac{1}{2}\times 20=10 \text{ (cm)}$$

26 🔑 18개

처음 원기둥의 겉넓이는
$(\pi \times 9^2)\times 2+2\pi \times 9 \times 12$
$=162\pi+216\pi=378\pi \text{ (cm}^2)$
구멍을 x개 뚫는다고 하면 새로운 입체도형의 겉넓이는
$(\pi \times 9^2)\times 2-(\pi \times 1^2)\times 2 \times x+2\pi \times 9 \times 12+2\pi \times 1 \times 12 \times x$
$=162\pi-2\pi x+216\pi+24\pi x$
$=378\pi+22\pi x \text{ (cm}^2)$
이때 새로운 입체도형의 겉넓이가 처음 원기둥의 겉넓이의 2배 이상이 되므로
$$378\pi+22\pi x \geq 2 \times 378\pi \qquad \therefore x \geq \frac{189}{11}$$
따라서 구멍을 최소 18개 이상 뚫어야 한다.

🔑전략
반지름의 길이가 r이고 높이가 h인 원기둥의 겉넓이는 $2\pi r^2+2\pi rh$이다.

27 🔑 12분

호스 A로 물을 x분 동안 채운다고 하면 호스 B로 최대한 $(15-x)$분 동안 물을 채우므로
$$10x+20(15-x)\geq 180 \qquad \therefore x \leq 12$$
따라서 호스 A로 물을 최대한 12분 동안 채울 수 있다.

🔑전략
호스 A로 물을 x분 동안 채운다고 하면 호스 B로 최대한 $(15-x)$분 동안 물을 채운다.

28 🔑 2명

전체 일의 양을 1이라 하면 남자 한 명이 하루에 할 수 있는 일의 양은 $\frac{1}{8}$, 여자 한 명이 하루에 할 수 있는 일의 양은 $\frac{1}{12}$이다.
남자의 수를 x명이라 하면 여자의 수는 $(11-x)$명이므로
$$\frac{1}{8}x+\frac{1}{12}(11-x)\geq 1 \qquad \therefore x \geq 2$$
따라서 남자는 2명 이상 있어야 한다.

🔑전략
전체 일의 양을 1로 놓고 부등식을 세운다.

STEP 3	전교 1등 확실하게 굳히는 문제	pp. 044~046
1 $b<c<d<a$	**2** ㉠, ㉡	**3** 5
4 20 %	**5** 2개	**6** $x>\dfrac{100(b-a)}{a-2b}$

1 🔑 $b<c<d<a$

조건 ㈎에서 $b=c+d-a$를 조건 ㈏에 대입하면
$a+c>(c+d-a)+d$에서 $2a>2d$ $\qquad \therefore a>d$ ...... ㉠
조건 ㈎에서 $a=c+d-b$를 조건 ㈏에 대입하면
$(c+d-b)+c>b+d$에서 $2c>2b$ $\qquad \therefore c>b$ ...... ㉡
조건 ㈐에서 a는 양수이므로 $c<d$ ...... ㉢
㉠~㉢에 의해 $b<c<d<a$

2 🔑 ㉠, ㉡

세 양수 a, b, c에 대하여 $a^3=b^3+c^3$이므로 $a>b$, $a>c$
㉠ $a^3=b^3+c^3=b\times b^2+c\times c^2$이고 $a>b$, $a>c$이므로
$b\times b^2+c\times c^2<a\times b^2+a\times c^2=a(b^2+c^2)$
즉 $a^3<a(b^2+c^2)$이므로 $a^2<b^2+c^2$
㉡ $b^4+c^4=b\times b^3+c\times c^3$이고 $a>b$, $a>c$이므로
$b\times b^3+c\times c^3<a\times b^3+a\times c^3=a(b^3+c^3)=a\times a^3=a^4$
즉 $b^4+c^4<a^4$이므로 $a^4>b^4+c^4$
㉢ $b^5+c^5=b^2\times b^3+c^2\times c^3$이고 $a>b$, $a>c$이므로
$b^2\times b^3+c^2\times c^3<a^2\times b^3+a^2\times c^3=a^2(b^3+c^3)=a^2\times a^3=a^5$
즉 $b^5+c^5<a^5$이므로 $a^5>b^5+c^5$
따라서 보기 중 옳은 것은 ㉠, ㉡이다.

3 🔑 5

x, y, z가 자연수이므로 $x<y<z$에서
$1\leq x<y<z$, $1\geq \dfrac{1}{x}>\dfrac{1}{y}>\dfrac{1}{z}$이므로
$$\frac{1}{x}<\frac{1}{x}+\frac{1}{y}+\frac{1}{z}<\frac{1}{x}+\frac{1}{x}+\frac{1}{x}=\frac{3}{x}$$
$$\frac{1}{x}<1<\frac{3}{x} \qquad \therefore 1<x<3$$
이때 x는 자연수이므로 $x=2$ ...... 30 %
$\dfrac{1}{x}+\dfrac{1}{y}+\dfrac{1}{z}=1$에서 $\dfrac{1}{y}+\dfrac{1}{z}=1-\dfrac{1}{x}$
위의 식에 $x=2$를 대입하면
$$\frac{1}{y}+\frac{1}{z}=\frac{1}{2}$$
$\dfrac{1}{z}<\dfrac{1}{y}$이므로 $\dfrac{1}{y}<\dfrac{1}{y}+\dfrac{1}{z}<\dfrac{1}{y}+\dfrac{1}{y}=\dfrac{2}{y}$
$$\frac{1}{y}<\frac{1}{2}<\frac{2}{y} \qquad \therefore 2<y<4$$
이때 y는 자연수이므로 $y=3$ ...... 30 %
$\dfrac{1}{x}+\dfrac{1}{y}+\dfrac{1}{z}=1$에 $x=2$, $y=3$을 대입하면
$$\frac{1}{2}+\frac{1}{3}+\frac{1}{z}=1, \frac{1}{z}=\frac{1}{6} \qquad \therefore z=6$$ ...... 30 %
$\therefore x-y+z=2-3+6=5$ ...... 10 %

🔑전략
(1) $a>b>0$이면 $\dfrac{1}{a}<\dfrac{1}{b}$
(2) $a>1$이면 $0<\dfrac{1}{a}<1$

4 $\textcircled{답}$ 20 %

달걀 한 개의 원가를 a원이라 하고 달걀 한 개당 x %의 이익을 붙인다고 하면

(달걀 한 개의 판매 가격)$= a + a \times \dfrac{x}{100} = a\left(1 + \dfrac{x}{100}\right)$(원)

$1900a\left(1 + \dfrac{x}{100}\right) - 2000a \geq 2000a \times \dfrac{14}{100}$

$\therefore x \geq 20$

따라서 달걀 한 개당 20 % 이상의 이익을 붙여서 팔아야 한다.

전략

원가가 a원인 물건에 x %의 이익을 붙인 정가

$\Rightarrow a + a \times \dfrac{x}{100} = a\left(1 + \dfrac{x}{100}\right)$원

5 $\textcircled{답}$ 2개

한 창구에서 1분 동안 발매하는 표를 a장이라 하면

$3 \times 15 \times a = 300 + 10 \times 15$

$45a = 450 \qquad \therefore a = 10$

8분 이내에 x개 발매 창구에서 사람들이 모두 표를 사려면

$x \times 8 \times 10 \geq 300 + 10 \times 8$

$80x \geq 380 \qquad \therefore x \geq \dfrac{19}{4}$

따라서 발매 창구가 5개 이상이어야 하므로 발매 창구는 적어도 2개 더 있어야 한다.

전략

먼저 한 창구에서 1분 동안 발매하는 표의 수를 구한다.

6 $\textcircled{답}$ $x > \dfrac{100(b-a)}{a-2b}$

A 요금제를 사용할 때의 월 사용 요금은 $\left(a + a \times \dfrac{1}{100} \times x\right)$원

B 요금제를 사용할 때의 월 사용 요금은 $\left(b + b \times \dfrac{2}{100} \times x\right)$원

$a + \dfrac{a}{100} \times x < b + \dfrac{2b}{100} \times x$

$(a - 2b)x < 100(b - a) \qquad \cdots\cdots \ \unicode{x3297}$

이때 B 요금제의 기본요금, 즉 b원이 A 요금제의 기본요금, 즉 a원보다 많다면 추가 요금도 B 요금제가 많기 때문에 두 요금제의 월 사용 요금이 같을 수가 없으므로 두 요금제의 월 사용 요금이 같게 되는 통화 수가 존재하려면 $a > b$이어야 한다.

또 한 통화당 요금은 B 요금제가 더 비싸야 하므로

$\dfrac{a}{100} < \dfrac{2b}{100} \qquad \therefore a - 2b < 0$

따라서 $\unicode{x3297}$의 양변을 $a - 2b$로 나누면

$x > \dfrac{100(b-a)}{a-2b}$

Ⅳ 연립방정식

01 연립방정식과 그 풀이

[확인 ①] $\textcircled{답}$ ㉢, ㉣, ㉤

㉠ 미지수 x, y가 분모에 있으므로 미지수가 2개인 일차방정식이 아니다.

㉡ xy항이 있으므로 미지수가 2개인 일차방정식이 아니다.

㉢ $2x^2 + x - y = 2x^2 + 11 + x^3$에서

$-x^3 + x - y - 11 = 0$

즉 $-x^3$항이 있으므로 미지수가 2개인 일차방정식이 아니다.

㉤ $x^2 + 2x - 5y + 2 = 2x^2 - x + y - x^2$에서

$3x - 6y + 2 = 0$

즉 미지수가 2개인 일차방정식이다.

따라서 미지수가 2개인 일차방정식인 것은 ㉢, ㉣, ㉤이다.

[확인 ②] $\textcircled{답}$ $x = 2, y = 1, z = 4$

$\begin{cases} x + y = 3 & \cdots\cdots \ \unicode{x3297} \\ y + z = 5 & \cdots\cdots \ \unicode{x3298} \\ z + x = 6 & \cdots\cdots \ \unicode{x3299} \end{cases}$

$\unicode{x3297} + \unicode{x3298} + \unicode{x3299}$을 하면 $2x + 2y + 2z = 14$

$x + y + z = 7 \qquad \cdots\cdots \ \unicode{x329A}$

$\unicode{x329A} - \unicode{x3297}$을 하면 $z = 4$

$\unicode{x329A} - \unicode{x3298}$을 하면 $x = 2$

$\unicode{x329A} - \unicode{x3299}$을 하면 $y = 1$

[확인 ③] $\textcircled{답}$ $x = -2, y = 3$

$\begin{cases} \dfrac{1}{4}(3x + y) = \dfrac{1}{2}y - \dfrac{9}{4} \\ 3y - (y - 2x) = 4 + x \end{cases} \Rightarrow \begin{cases} 3x + y = 2y - 9 \\ 3y - y + 2x = 4 + x \end{cases}$

$\Rightarrow \begin{cases} 3x - y = -9 & \cdots\cdots \ \unicode{x3297} \\ x + 2y = 4 & \cdots\cdots \ \unicode{x3298} \end{cases}$

$\unicode{x3297} \times 2 + \unicode{x3298}$을 하면

$7x = -14 \qquad \therefore x = -2$

$\unicode{x3297}$에 $x = -2$를 대입하면

$-6 - y = -9 \qquad \therefore y = 3$

[확인 ④] $\textcircled{답}$ (1) ㉡과 ㉢ (2) ㉠과 ㉣

㉠ $y = -\dfrac{1}{2}x + 2$에서 $x + 2y = 4$

㉡ $y = 2x - 1$에서 $2x - y = 1$

㉢ $-4x + 2y + 2 = 0$에서 $2x - y = 1$

㉣ $x + 2y = 2$

(1) ㉡과 ㉢을 한 쌍으로 하는 연립방정식을 풀면 해가 무수히 많다.
(2) ㉠과 ㉣을 한 쌍으로 하는 연립방정식을 풀면 해가 없다.

1 (1) $x=18, y=5$ (2) $x=8, y=2$

    (3) $x=1, y=-1, z=1$ (4) $x=\dfrac{1}{6}, y=\dfrac{1}{4}, z=\dfrac{1}{3}$

    (5) $x=-\dfrac{1}{4}, y=\dfrac{1}{6}$ (6) $x=0, y=\dfrac{1}{2}$

2-1 $\dfrac{8}{5}$ **2-2** $-2, -11$

3-1 9   **3-2** 74

4-1 $a=8,\ b=2$ **4-2** 5

5-1 4   **5-2** 4개

6-1 5   **6-2** -4

7-1 3   **7-2** -2

1 답 (1) $x=18, y=5$ (2) $x=8, y=2$

    (3) $x=1, y=-1, z=1$ (4) $x=\dfrac{1}{6}, y=\dfrac{1}{4}, z=\dfrac{1}{3}$

    (5) $x=-\dfrac{1}{4}, y=\dfrac{1}{6}$ (6) $x=0, y=\dfrac{1}{2}$

(1) $\begin{cases} 0.2x-0.7y=0.1 \\ \dfrac{x+2}{4}-\dfrac{y-3}{2}=4 \end{cases}$ ⟹ $\begin{cases} 2x-7y=1 \\ x+2-2(y-3)=16 \end{cases}$

                           ⟹ $\begin{cases} 2x-7y=1 \\ x-2y=8 \end{cases}$

위의 연립방정식을 풀면 $x=18, y=5$

(2) $\begin{cases} 0.\dot{2}x-0.\dot{3}y=1.\dot{1} \\ \dfrac{x-1}{6}-\dfrac{y+1}{3}=\dfrac{1}{6} \end{cases}$ ⟹ $\begin{cases} \dfrac{2}{9}x-\dfrac{3}{9}y=\dfrac{10}{9} \\ x-1-2(y+1)=1 \end{cases}$

                      ⟹ $\begin{cases} 2x-3y=10 \\ x-2y=4 \end{cases}$

위의 연립방정식을 풀면 $x=8, y=2$

(3) $\begin{cases} x-y+z=3 & \cdots\cdots ㉠ \\ 2x+y+z=2 & \cdots\cdots ㉡ \\ x+2y+3z=2 & \cdots\cdots ㉢ \end{cases}$

    ㉠+㉡을 하면 $3x+2z=5$ $\cdots\cdots ㉣$

    ㉡×2−㉢을 하면 $3x-z=2$ $\cdots\cdots ㉤$

    ㉣−㉤을 하면 $3z=3$ $\therefore z=1$

    ㉤에 $z=1$을 대입하여 풀면 $x=1$

    ㉠에 $x=1, z=1$을 대입하여 풀면 $y=-1$

(4) $\begin{cases} x:y:z=2:3:4 & \cdots\cdots ㉠ \\ 6x+4y-3z=1 & \cdots\cdots ㉡ \end{cases}$

    ㉠에서 $x=2k, y=3k, z=4k (k\neq0)$로 놓고 ㉡에 대입하면

    $6\times2k+4\times3k-3\times4k=1$

    $12k=1$ $\therefore k=\dfrac{1}{12}$

$x=2k, y=3k, z=4k$에 $k=\dfrac{1}{12}$을 대입하면

$x=\dfrac{1}{6}, y=\dfrac{1}{4}, z=\dfrac{1}{3}$

(5) $\dfrac{1}{x}=X, \dfrac{1}{y}=Y$로 치환하면

    $\begin{cases} 2X+3Y=10 \\ X+4Y=20 \end{cases}$ $\therefore X=-4, Y=6$

즉 $\dfrac{1}{x}=-4, \dfrac{1}{y}=6$이므로 $x=-\dfrac{1}{4}, y=\dfrac{1}{6}$

(6) $\begin{cases} x+\dfrac{2}{y}=4 & \cdots\cdots ㉠ \\ xy+6y=3 & \cdots\cdots ㉡ \end{cases}$

    ㉠에서 $x=4-\dfrac{2}{y}$

    ㉡에 $x=4-\dfrac{2}{y}$를 대입하면

    $\left(4-\dfrac{2}{y}\right)y+6y=3,\ 4y-2+6y=3$

    $10y=5$ $\therefore y=\dfrac{1}{2}$

    ㉡에 $y=\dfrac{1}{2}$을 대입하면

    $\dfrac{1}{2}x+3=3$ $\therefore x=0$

2-1 답 $\dfrac{8}{5}$

$\begin{cases} 0.2x+0.7y=2.4 \\ \dfrac{2}{5}x+y=\dfrac{5}{2}k \end{cases}$ ⟹ $\begin{cases} 2x+7y=24 & \cdots\cdots ㉠ \\ 4x+10y=25k & \cdots\cdots ㉡ \end{cases}$

y의 값이 x의 값보다 3만큼 작으므로 $y=x-3$ $\cdots\cdots ㉢$

㉠에 $y=x-3$을 대입하여 풀면 $x=5$

㉢에 $x=5$를 대입하여 풀면 $y=2$

㉡에 $x=5, y=2$를 대입하여 풀면 $k=\dfrac{8}{5}$

2-2 답 $-2, -11$

(i) $x-y=3$일 때

    $\begin{cases} 2x-y=7 \\ x-y=3 \end{cases}$을 풀면 $x=4, y=1$

    $x+y+2a=1$에 $x=4, y=1$을 대입하면

    $4+1+2a=1, 2a=-4$ $\therefore a=-2$

(ii) $y-x=3$일 때

    $\begin{cases} 2x-y=7 \\ y-x=3 \end{cases}$을 풀면 $x=10, y=13$

    $x+y+2a=1$에 $x=10, y=13$을 대입하면

    $10+13+2a=1, 2a=-22$ $\therefore a=-11$

따라서 가능한 상수 a의 값은 $-2, -11$이다.

3-1 답 9

x와 y의 값의 비가 $2:1$이므로

$x:y=2:1$, 즉 $x=2y$

$x=2y$를 주어진 연립방정식에 대입하면

$\begin{cases} 6y-y=a+1 \\ 2y+2y=a-1 \end{cases} \Rightarrow \begin{cases} 5y=a+1 \\ 4y=a-1 \end{cases}$

$\therefore y=2, a=9$

따라서 구하는 a의 값은 9이다.

3-2 ⓐ 74

(i) $x=2y$일 때

$\begin{cases} x+y=9 \\ x=2y \end{cases}$ 를 풀면 $x=6, y=3$

$3x-2y=5+a$에 $x=6, y=3$을 대입하면

$18-6=5+a$ $\therefore a=7$

(ii) $x=-2y$일 때

$\begin{cases} x+y=9 \\ x=-2y \end{cases}$ 를 풀면 $x=18, y=-9$

$3x-2y=5+a$에 $x=18, y=-9$를 대입하면

$54+18=5+a$ $\therefore a=67$

따라서 가능한 모든 상수 a의 값은 7, 67이므로 그 합은

$7+67=74$

4-1 ⓐ $a=8, b=2$

두 연립방정식 $\begin{cases} 2x-3y=-1 \\ ax+3y=11 \end{cases}, \begin{cases} x+2y=3 \\ x+y=b \end{cases}$ 의 해가 서로 같으므

로 연립방정식 $\begin{cases} 2x-3y=-1 \\ x+2y=3 \end{cases}$ 을 풀면 $x=1, y=1$

$ax+3y=11$에 $x=1, y=1$을 대입하면

$a+3=11$ $\therefore a=8$

$x+y=b$에 $x=1, y=1$을 대입하면

$1+1=b$ $\therefore b=2$

4-2 ⓐ 5

두 연립방정식 $\begin{cases} 6x+y=8 \\ ax-by=16 \end{cases}, \begin{cases} 4x+y=4 \\ bx-ay=14 \end{cases}$ 의 해가 서로 같으

므로 연립방정식 $\begin{cases} 6x+y=8 \\ 4x+y=4 \end{cases}$ 를 풀면 $x=2, y=-4$

$ax-by=16$에 $x=2, y=-4$를 대입하면

$2a+4b=16$ …… ㉠

$bx-ay=14$에 $x=2, y=-4$를 대입하면

$2b+4a=14$ …… ㉡

㉠, ㉡을 연립하여 풀면 $a=2, b=3$

$\therefore a+b=2+3=5$

5-1 ⓐ 4

연립방정식 $\begin{cases} x+2y=5 \\ 2x+ay=4 \end{cases}$ 의 해가 없으려면

$\dfrac{1}{2}=\dfrac{2}{a}\neq\dfrac{5}{4}$ 이어야 하므로 $a=4$

5-2 ⓐ 4개

두 일차방정식 $2x+3y=3a, 6bx+9y=-18$의 공통인 해가 없

으므로 연립방정식 $\begin{cases} 2x+3y=3a \\ 6bx+9y=-18 \end{cases}$ 의 해가 없다.

따라서 $\dfrac{2}{6b}=\dfrac{3}{9}\neq\dfrac{3a}{-18}$ 이어야 하므로

$a\neq-2, b=1$

즉 $m=-2, n=1$이므로 일차방정식 $2x+y=9$를 만족하는 자

연수 x, y의 순서쌍 (x, y)는 $(1, 7), (2, 5), (3, 3), (4, 1)$의 4개

이다.

6-1 ⓐ 5

연립방정식 $\begin{cases} ax+3y=2 \\ 2x+6y=b \end{cases}$ 의 해가 무수히 많으려면

$\dfrac{a}{2}=\dfrac{3}{6}=\dfrac{2}{b}$ 이어야 하므로

$a=1, b=4$

$\therefore a+b=1+4=5$

6-2 ⓐ -4

연립방정식 $\begin{cases} x-\dfrac{1}{2}y=\dfrac{5}{2} \\ ax+2y=-10 \end{cases}$, 즉 $\begin{cases} 2x-y=5 \\ ax+2y=-10 \end{cases}$ 의 해가 2개

이상이려면

$\dfrac{2}{a}=\dfrac{-1}{2}=\dfrac{5}{-10}$ 이어야 하므로 $a=-4$

> **참고**
> 연립방정식의 해가 2개 이상이다.
> ➡ 연립방정식의 해가 무수히 많다.

7-1 ⓐ 3

연립방정식 $\begin{cases} kx-3y=0 \\ 2x+y=kx \end{cases}$, 즉 $\begin{cases} kx-3y=0 \\ (2-k)x+y=0 \end{cases}$ 이 $x=0, y=0$

이외의 해를 가지려면

$\dfrac{k}{2-k}=\dfrac{-3}{1}$ 이어야 하므로

$-6+3k=k, 2k=6$ $\therefore k=3$

7-2 ⓐ -2

연립방정식 $\begin{cases} \dfrac{x-1}{3}=\dfrac{y+1}{2} \\ ax+by=10 \end{cases}$, 즉 $\begin{cases} 2x-3y=5 \\ ax+by=10 \end{cases}$ 의 해가 무수히 많

으려면

$\dfrac{2}{a}=\dfrac{-3}{b}=\dfrac{5}{10}$ 이어야 하므로

$a=4, b=-6$

$\therefore a+b=4+(-6)=-2$

01 ①, ⑤	**02** 15	**03** 2개
04 6	**05** 2	**06** ⑤
07 $x=3, y=2$	**08** 4 : 9	
09 $x=2, y=-4$ 또는 $x=-1, y=-5$		
10 $a=3, b=-2$	**11** 3	**12** 12
13 2	**14** $p=2, q=-2$	
15 -2	**16** $a=3, b=-4, c=1, d=2$	
17 $x=\dfrac{1}{4}, y=\dfrac{1}{5}, z=1$		**18** $6<a<26$
19 $-\dfrac{3}{4}$	**20** 24	**21** 16
22 $x=-1, y=3$	**23** $x=-3, y=-2$	
24 $x=2, y=-2$		

01 답 ①, ⑤

① $xy+y=8$은 xy항이 있으므로 x, y에 대한 일차방정식이 아니다.

② $x+ay=-5$에 $x=-1, y=2$를 대입하면
$-1+2a=-5, 2a=-4$ $\therefore a=-2$
$x-2y=-5$에 $x=3, y=4$를 대입하면
$3-2\times4=-5$
따라서 일차방정식 $x+ay=-5$의 한 해가 $(-1, 2)$일 때, $(3, 4)$도 해가 된다.

③ $x+y-6=0$을 만족하는 자연수 x, y의 순서쌍 (x, y)는 $(1, 5), (2, 4), (3, 3), (4, 2), (5, 1)$의 5개이다.

④ $2x-y=1$을 만족하는 정수 x, y의 순서쌍 (x, y)는 $\cdots, (-2, -5), (-1, -3), (0, -1), (1, 1), (2, 3), \cdots$ 이므로 해는 무수히 많다.

⑤ x, y에 대한 연립일차방정식의 해는 한 쌍이거나 없거나 무수히 많다.

따라서 옳지 않은 것은 ①, ⑤이다.

> **전략**
> x, y의 순서쌍 (m, n)이 x, y에 대한 일차방정식 $ax+by+c=0$의 해이다.
> ➡ $x=m, y=n$을 대입하면 등식이 성립한다.

02 답 15

$2x-3y=21$을 만족하는 두 자연수 x, y의 순서쌍 (x, y)는 $(12, 1), (15, 3), (18, 5), (21, 7), (24, 9), (27, 11), \cdots$
이때 두 자연수 x, y의 최소공배수가 72이므로
$x=24, y=9$
$\therefore x-y=24-9=15$

> **전략**
> 주어진 일차방정식을 만족하는 x, y의 순서쌍 (x, y)를 구한다.

03 답 2개

$(a-3b)x+(2a-b)y=0$에 $x=1, y=-1$을 대입하면
$(a-3b)-(2a-b)=0$ $\therefore a=-2b$
$2by+3a=4b+2ax$에 $a=-2b$를 대입하면
$2by+3\times(-2b)=4b+2\times(-2b)x$
$2by-6b=4b-4bx$
$4bx+2by=10b$
이때 $ab\neq0$이므로 양변을 $2b$로 나누면 $2x+y=5$
따라서 $2x+y=5$를 만족하는 자연수 x, y의 순서쌍 (x, y)는 $(1, 3), (2, 1)$의 2개이다.

> **전략**
> $ab\neq0$이므로 $a\neq0$이고 $b\neq0$이다.

04 답 6

$17x+13y=82$를 만족하는 자연수 x, y의 순서쌍 (x, y)는 $(1, 5)$이므로
$y=mx-1$에 $x=1, y=5$를 대입하면
$5=m-1$ $\therefore m=6$

> **전략**
> $17x+13y=82$를 만족하는 자연수 x, y의 값을 $y=mx-1$에 대입한다.

05 답 2

$\dfrac{4x+y}{5}=\dfrac{5x+ay}{4}=1$에서
$\begin{cases} \dfrac{4x+y}{5}=1 \\ \dfrac{5x+ay}{4}=1 \end{cases} \Rightarrow \begin{cases} 4x+y=5 \\ 5x+ay=4 \end{cases}$
이 연립방정식의 해가 일차방정식 $2x-y=7$을 만족하므로
연립방정식 $\begin{cases} 4x+y=5 \\ 2x-y=7 \end{cases}$을 풀면 $x=2, y=-3$
$5x+ay=4$에 $x=2, y=-3$을 대입하면
$10-3a=4, -3a=-6$ $\therefore a=2$

> **전략**
> $A=B=C$ 꼴의 방정식에서 C가 상수이면 $\begin{cases} A=C \\ B=C \end{cases}$로 놓고 푸는 것이 간단하다.

06 답 ⑤

$ax+b=cx+d$에서 $ax-cx=d-b$
$(a-c)x=d-b$ $\therefore x=\dfrac{d-b}{a-c} (\because a\neq c)$
① $\begin{cases} y=(a-c)x &\cdots\cdots\ \bigcirc \\ y=d-b &\cdots\cdots\ \bigcirc\!\!\!\!\bigcirc \end{cases}$
$\bigcirc$에 $\bigcirc\!\!\!\!\bigcirc$을 대입하면
$d-b=(a-c)x$ $\therefore x=\dfrac{d-b}{a-c} (\because a\neq c)$

② $\begin{cases} y=cx-b & \cdots\cdots \ ㉠ \\ y=ax-d & \cdots\cdots \ ㉡ \end{cases}$

㉠에 ㉡을 대입하면

$ax-d=cx-b$

$(a-c)x=d-b$ ∴ $x=\dfrac{d-b}{a-c}\ (\because a\neq c)$

③ $\begin{cases} y=(a-5)x+b & \cdots\cdots \ ㉠ \\ y=(c-5)x+d & \cdots\cdots \ ㉡ \end{cases}$

㉠에 ㉡을 대입하면

$(c-5)x+d=(a-5)x+b$

$(a-c)x=d-b$ ∴ $x=\dfrac{d-b}{a-c}\ (\because a\neq c)$

④ $\begin{cases} y=-ax+4d & \cdots\cdots \ ㉠ \\ y=-cx+b+3d & \cdots\cdots \ ㉡ \end{cases}$

㉠에 ㉡을 대입하면

$-cx+b+3d=-ax+4d$

$(a-c)x=d-b$ ∴ $x=\dfrac{d-b}{a-c}\ (\because a\neq c)$

⑤ $\begin{cases} y=ax-3d & \cdots\cdots \ ㉠ \\ y=cx-3b & \cdots\cdots \ ㉡ \end{cases}$

㉠에 ㉡을 대입하면

$cx-3b=ax-3d$

$(a-c)x=3(d-b)$ ∴ $x=\dfrac{3(d-b)}{a-c}\ (\because a\neq c)$

따라서 주어진 일차방정식의 해와 일치하지 않는 것은 ⑤이다.

07 답 $x=3, y=2$

$\begin{cases} 2^{x+1}-3^y=7 \\ 2^x+3^{y+2}=89 \end{cases}$ 에서 $\begin{cases} 2^x\times2-3^y=7 \\ 2^x+3^y\times3^2=89 \end{cases}$

$2^x=X, 3^y=Y$로 치환하면

$\begin{cases} 2X-Y=7 \\ X+9Y=89 \end{cases}$ ∴ $X=8, Y=9$

즉 $2^x=8=2^3, 3^y=9=3^2$이므로 $x=3, y=2$

08 답 $4:9$

$\begin{cases} 4x-3y+a=0 & \cdots\cdots \ ㉠ \\ x+2y-2a=0 & \cdots\cdots \ ㉡ \end{cases}$

㉠$-$㉡$\times4$를 하면

$-11y+9a=0$ ∴ $y=\dfrac{9}{11}a$

㉠$\times2+$㉡$\times3$을 하면

$11x-4a=0$ ∴ $x=\dfrac{4}{11}a$

∴ $x:y=\dfrac{4}{11}a:\dfrac{9}{11}a=4:9$

09 답 $x=2, y=-4$ 또는 $x=-1, y=-5$

(ⅰ) $x\geq0$일 때

$\begin{cases} |x|-y=6 \\ x-3y=14 \end{cases}$ ➡ $\begin{cases} x-y=6 \\ x-3y=14 \end{cases}$

∴ $x=2, y=-4$

(ⅱ) $x<0$일 때

$\begin{cases} |x|-y=6 \\ x-3y=14 \end{cases}$ ➡ $\begin{cases} -x-y=6 \\ x-3y=14 \end{cases}$

∴ $x=-1, y=-5$

(ⅰ), (ⅱ)에서 구하는 연립방정식의 해는 $x=2, y=-4$ 또는 $x=-1, y=-5$

10 답 $a=3, b=-2$

두 연립방정식 $\begin{cases} 3x-2y=8 \\ 2ax+3y=b+11 \end{cases}$, $\begin{cases} ay-2bx=5 \\ 4y+5x=6 \end{cases}$ 의 해가 서로

같으므로 연립방정식 $\begin{cases} 3x-2y=8 \\ 4y+5x=6 \end{cases}$을 풀면 $x=2, y=-1$

따라서 연립방정식 A의 해는 $x=2, y=-1$이고 연립방정식 B의 해는 $x=-1, y=2$이다.

$2ax+3y=b+11$에 $x=2, y=-1$을 대입하면

$4a-3=b+11$ ∴ $4a-b=14$ $\cdots\cdots \ ㉠$

$ax-2by=5$에 $x=-1, y=2$를 대입하면

$-a-4b=5$ ∴ $a+4b=-5$ $\cdots\cdots \ ㉡$

㉠, ㉡을 연립하여 풀면 $a=3, b=-2$

11 답 3

$x=2n-1, y=2n+1(n$은 자연수)로 놓고

$\begin{cases} 5x-4y=a \\ 7x-5y=a+9 \end{cases}$ 에 $x=2n-1, y=2n+1$을 대입하면

$\begin{cases} 5(2n-1)-4(2n+1)=a \\ 7(2n-1)-5(2n+1)=a+9 \end{cases}$ ➡ $\begin{cases} 2n=a+9 \\ 4n=a+21 \end{cases}$

∴ $n=6, a=3$

12 답 12

최대공약수가 6이고 최소공배수가 18인 두 수는 6과 18이므로 연립방정식의 해는 $x=6, y=18\ (\because x<y)$

$$\begin{cases} 0.\dot{a}x+0.\dot{1}y=4.\dot{6} \\ 1.\dot{1}x-0.\dot{b}y=0.\dot{6} \end{cases} \Rightarrow \begin{cases} \dfrac{a}{9}x+\dfrac{1}{9}y=\dfrac{42}{9} \\ \dfrac{10}{9}x-\dfrac{b}{9}y=\dfrac{6}{9} \end{cases} \Rightarrow \begin{cases} ax+y=42 \\ 10x-by=6 \end{cases}$$

$ax+y=42$에 $x=6, y=18$을 대입하면

$6a+18=42, 6a=24$ $\therefore a=4$

$10x-by=6$에 $x=6, y=18$을 대입하면

$60-18b=6, 18b=54$ $\therefore b=3$

$\therefore ab=4\times3=12$

전략
x, y의 값을 구한 후 주어진 연립방정식을 간단히 하여 대입한다.

참고
x, y의 최대공약수가 6이므로 $x=6p, y=6q$(p, q는 서로소)로 놓으면
x, y의 최소공배수가 180이므로
$6pq=18$ $\therefore pq=3$
p, q는 서로소이므로 $p=1, q=3$ 또는 $p=3, q=1$
이때 $x<y$이므로 $x=6, y=18$

13 답 2

연립방정식 $\begin{cases} 3x+9y=4a \\ x+ay=4 \end{cases}$ 의 해가 무수히 많으므로

$\dfrac{3}{1}=\dfrac{9}{a}=\dfrac{4a}{4}$에서 $a=3$

$(m+a-5)x+m+6=0$에 $a=3$을 대입하면

$(m-2)x+m+6=0$

이 일차방정식이 해를 갖지 않으려면 $m-2=0$이어야 하므로

$m=2$

전략
연립방정식의 해가 무수히 많을 조건을 이용하여 a의 값을 구한다.

14 답 $p=2, q=-2$

연립방정식 $\begin{cases} ax-y=a+2 \\ 4x-ay=a+6 \end{cases}$에서

$\dfrac{a}{4}=\dfrac{-1}{-a}, a^2=4$ $\therefore a=2$ 또는 $a=-2$

(i) $a=2$일 때

$\dfrac{2}{4}=\dfrac{-1}{-2}=\dfrac{2+2}{2+6}$이므로 해가 무수히 많다.

(ii) $a=-2$일 때

$\dfrac{-2}{4}=\dfrac{-1}{2}\neq\dfrac{-2+2}{-2+6}$이므로 해가 없다.

$\therefore p=2, q=-2$

전략
연립방정식 $\begin{cases} ax+by=c \\ a'x+b'y=c' \end{cases}$에서
① 해가 무수히 많은 경우 $\Rightarrow \dfrac{a}{a'}=\dfrac{b}{b'}=\dfrac{c}{c'}$
② 해가 없는 경우 $\Rightarrow \dfrac{a}{a'}=\dfrac{b}{b'}\neq\dfrac{c}{c'}$

15 답 -2

$ax+by=-5$에 $x=0, y=1$을 대입하면

$0+b=-5$ $\therefore b=-5$

$ax-5y=-5$에 $x=3, y=4$를 대입하면

$3a-20=-5, 3a=15$ $\therefore a=5$

$5x+cy=7$에 $x=3, y=4$를 대입하면

$15+4c=7, 4c=-8$ $\therefore c=-2$

$\therefore a+b+c=5+(-5)+(-2)=-2$

전략
$x=0, y=1$은 $ax+by=-5$의 해임을 이용하여 먼저 b의 값을 구한다.

16 답 $a=3, b=-4, c=1, d=2$

연립방정식 $\begin{cases} ax+by=4 \\ cx+dy=8 \end{cases}$에 $x=4, y=2$를 대입하면

$\begin{cases} 4a+2b=4 & \cdots\cdots\ \bigcirc \\ 4c+2d=8 & \cdots\cdots\ \bigcirc\!\!\!\bigcirc \end{cases}$

$cx+dy=8$에 $x=-12, y=10$을 대입하면

$-12c+10d=8$ $\cdots\cdots\ \bigcirc\!\!\!\bigcirc\!\!\!\bigcirc$

$ax+by=4$에 $x=20, y=14$를 대입하면

$20a+14b=4$ $\cdots\cdots\ \textcircled{\tiny ㄹ}$

$\bigcirc$, $\textcircled{\tiny ㄹ}$을 연립하여 풀면 $a=3, b=-4$

$\bigcirc\!\!\!\bigcirc$, $\bigcirc\!\!\!\bigcirc\!\!\!\bigcirc$을 연립하여 풀면 $c=1, d=2$

전략
바르게 보고 푼 해와 잘못 보고 푼 해를 이용하여 a, b에 대한 방정식과 c, d에 대한 방정식을 세운다.

17 답 $x=\dfrac{1}{4}, y=\dfrac{1}{5}, z=1$

연립방정식 $\begin{cases} xy-yz+2zx=7xyz \\ 2xy+3yz-2zx=4xyz \\ 3xy+5yz-4zx=3xyz \end{cases}$에서

$xyz\neq0$이므로 각 일차방정식의 양변을 xyz로 나누면

$\begin{cases} \dfrac{1}{z}-\dfrac{1}{x}+\dfrac{2}{y}=7 \\ \dfrac{2}{z}+\dfrac{3}{x}-\dfrac{2}{y}=4 \\ \dfrac{3}{z}+\dfrac{5}{x}-\dfrac{4}{y}=3 \end{cases}$

$\dfrac{1}{x}=X, \dfrac{1}{y}=Y, \dfrac{1}{z}=Z$로 놓으면

$\begin{cases} -X+2Y+Z=7 & \cdots\cdots\ \bigcirc \\ 3X-2Y+2Z=4 & \cdots\cdots\ \bigcirc\!\!\!\bigcirc \\ 5X-4Y+3Z=3 & \cdots\cdots\ \bigcirc\!\!\!\bigcirc\!\!\!\bigcirc \end{cases}$

$\bigcirc+\bigcirc\!\!\!\bigcirc$을 하면 $2X+3Z=11$ $\cdots\cdots\ \textcircled{\tiny ㄹ}$

$\bigcirc\!\!\!\bigcirc\times2-\bigcirc\!\!\!\bigcirc\!\!\!\bigcirc$을 하면 $X+Z=5$ $\cdots\cdots\ \textcircled{\tiny ㅁ}$

$\textcircled{\tiny ㄹ}$, $\textcircled{\tiny ㅁ}$을 연립하여 풀면 $X=4, Z=1$

$\bigcirc$에 $X=4, Z=1$을 대입하면

$-4+2Y+1=7$ $\therefore Y=5$

즉 $\frac{1}{x}=4$, $\frac{1}{y}=5$, $\frac{1}{z}=1$이므로

$x=\frac{1}{4}$, $y=\frac{1}{5}$, $z=1$

전략
$xyz\neq0$이므로 각 일차방정식의 양변을 xyz로 나누어 본다.

18 답 $6<a<26$

$\begin{cases} x+y=10 & \cdots\cdots \text{㉠} \\ y+z=16 & \cdots\cdots \text{㉡} \\ z+x=a & \cdots\cdots \text{㉢} \end{cases}$

㉠+㉡+㉢을 하면

$2(x+y+z)=a+26$

$\therefore x+y+z=\frac{a+26}{2}$ $\cdots\cdots$ ㉣

㉣-㉡을 하면 $x=\frac{a-6}{2}$

이때 x가 양수이므로 $\frac{a-6}{2}>0$

$a-6>0$ $\therefore a>6$

㉣-㉢을 하면 $y=\frac{26-a}{2}$

이때 y가 양수이므로 $\frac{26-a}{2}>0$

$26-a>0$ $\therefore a<26$

따라서 구하는 상수 a의 값의 범위는 $6<a<26$이다.

전략
세 식을 변끼리 더하여 $x+y+z$의 값을 구한 후 x,y가 양수임을 이용하여 a의 값의 범위를 구한다.

19 답 $-\frac{3}{4}$

$\begin{cases} x-2y+z=0 & \cdots\cdots \text{㉠} \\ 3x+2y+z=0 & \cdots\cdots \text{㉡} \end{cases}$

㉠+㉡을 하면

$4x+2z=0$ $\therefore z=-2x$

㉠에 $z=-2x$를 대입하면

$x-2y-2x=0$ $\therefore x=-2y$

즉 $z=-2x=-2\times(-2y)=4y$, 즉 $z=4y$

$\therefore \frac{y+z}{x}+\frac{z+x}{y}+\frac{x+y}{z}=\frac{y+4y}{-2y}+\frac{4y-2y}{y}+\frac{-2y+y}{4y}$

$=-\frac{5}{2}+2-\frac{1}{4}=-\frac{3}{4}$

전략
x,z를 y에 대한 식으로 나타낸다.

20 답 24

$\begin{cases} x+y-z=0 & \cdots\cdots \text{㉠} \\ 3x+8y-6z=0 & \cdots\cdots \text{㉡} \end{cases}$

㉠×3-㉡을 하면

$-5y+3z=0$ $\therefore y=\frac{3}{5}z$

㉠에 $y=\frac{3}{5}z$를 대입하면

$x+\frac{3}{5}z-z=0$ $\therefore x=\frac{2}{5}z$

따라서 $x:y:z=\frac{2}{5}z:\frac{3}{5}z:z=2:3:5$이므로

$x=2k$, $y=3k$, $z=5k$(k는 자연수)로 놓으면 x,y,z의 최소공배수는 $30k$이다.

즉 $30k=180$이므로 $k=6$

따라서 $x=12$, $y=18$, $z=30$이므로

$x-y+z=12-18+30=24$

전략
$x:y:z$를 가장 간단한 자연수의 비로 나타낸다.

21 답 16

$(a+b):(b+c):(c+a)=3:4:5$이므로

$a+b=3k$, $b+c=4k$, $c+a=5k$($k\neq0$)로 놓고

위의 세 식을 변끼리 더하면

$2(a+b+c)=12k$ $\therefore a+b+c=6k$

즉 $a=2k$, $b=k$, $c=3k$이고 $a+b+c=24$이므로

$2k+k+3k=24$, $6k=24$ $\therefore k=4$

따라서 $a=8$, $b=4$, $c=12$이므로

$a^2-bc=8^2-4\times12=16$

전략
$a+b=3k$, $b+c=4k$, $c+a=5k$($k\neq0$)로 놓고 a,b,c를 k를 사용하여 나타낸다.

22 답 $x=-1$, $y=3$

$1\circ5=1-5=-4$, $3\circ(-2)=3+(-2)+1=2$이므로

$\begin{cases} x-y=1\circ5 \\ x+y=3\circ(-2) \end{cases} \Rightarrow \begin{cases} x-y=-4 \\ x+y=2 \end{cases}$

$\therefore x=-1$, $y=3$

전략
먼저 $1\circ5$, $3\circ(-2)$의 값을 구한다.

23 답 $x=-3$, $y=-2$

(i) $x>y$일 때

$\{x,\ y\}=x$, $\langle x,\ y\rangle=y$이므로

$\begin{cases} \{x,\ y\}=x-y-1 \\ \langle x,\ y\rangle=x+y+2 \end{cases} \Rightarrow \begin{cases} x=x-y-1 \\ y=x+y+2 \end{cases}$

$\therefore x=-2$, $y=-1$

그런데 $x<y$이므로 $x=-2$, $y=-1$은 주어진 연립방정식의 해가 아니다.

(ii) $x<y$일 때

$\{x,\ y\}=y$, $\langle x,\ y\rangle=x$이므로

$$\begin{cases} \{x,\ y\}=x-y-1 \\ \langle x,\ y\rangle=x+y+2 \end{cases} \Rightarrow \begin{cases} y=x-y-1 \\ x=x+y+2 \end{cases}$$

$$\therefore x=-3,\ y=-2$$

(i), (ii)에서 구하는 연립방정식의 해는 $x=-3,\ y=-2$

전략

$x>y$인 경우와 $x<y$인 경우로 나누어 생각한다.

24 답 $x=2,\ y=-2$

$x*2=A,\ 3*y=B$로 놓으면

$$\begin{cases} A-B=5 \\ 4*A+B*6=3 \end{cases} \Rightarrow \begin{cases} A-B=5 \\ (4A+4-A)+(6B+B-6)=3 \end{cases}$$

$$\Rightarrow \begin{cases} A-B=5 \\ 3A+7B=5 \end{cases}$$

$$\therefore A=4,\ B=-1$$

$x*2=A=4$에서

$2x+x-2=4,\ 3x=6 \quad \therefore x=2$

$3*y=B=-1$에서

$3y+3-y=-1,\ 2y=-4 \quad \therefore y=-2$

전략

$x*2=A,\ 3*y=B$로 놓고 $A,\ B$의 값을 구한 후 $x,\ y$의 값을 구한다.

STEP 3 전교 1등 확실하게 굳히는 문제   pp. 059~061

1 2개	2 11	3 $2,\ \dfrac{4}{3}$
4 0	5 13	
6 $x=\dfrac{23}{10},\ y=\dfrac{23}{6},\ z=\dfrac{23}{2}$		7 -125
8 ④		

1 답 2개

$xy+yz=51$에서 $y(x+z)=51$ ……㉠

$xz+yz=19$에서 $z(x+y)=19$ ……㉡

이때 $x,\ y,\ z$는 모두 자연수이므로 ㉡에서

$z=1,\ x+y=19$ 또는 $z=19,\ x+y=1$

이때 두 자연수의 합이 1인 경우는 없으므로

$z=1,\ x+y=19$

㉠에 $z=1$을 대입하면 $y(x+1)=51$이므로

주어진 두 식을 만족하는 세 자연수 $x,\ y,\ z$의 순서쌍 $(x,\ y,\ z)$는

$(2,\ 17,\ 1),\ (16,\ 3,\ 1)$의 2개이다.

전략

$xz+yz=19$에서 19는 소수임을 이용한다.

2 답 11

천의 자리의 계산에서 $a-1=b$ ……㉠

이때 $a>b$이므로 일의 자리의 계산에서 십의 자리에서 받아내림을 하면 $(10+b)-a=a$ ……㉡

㉠, ㉡을 연립하여 풀면 $a=9,\ b=8$

$$\therefore 3a-2b=3\times9-2\times8=11$$

전략

천의 자리의 계산에서 $a-1=b$이므로 $a>b$이다.

3 답 $2,\ \dfrac{4}{3}$

(i) $x\geq0,\ x+y\geq0$일 때

$$\begin{cases} |x|-x+y=4 \\ |x+y|-y=8 \end{cases} \Rightarrow \begin{cases} x-x+y=4 \\ x+y-y=8 \end{cases} \Rightarrow \begin{cases} y=4 \\ x=8 \end{cases}$$

$x=8,\ y=4$이므로 $\dfrac{x}{y}=\dfrac{8}{4}=2$

(ii) $x\geq0,\ x+y<0$일 때

$$\begin{cases} |x|-x+y=4 \\ |x+y|-y=8 \end{cases} \Rightarrow \begin{cases} x-x+y=4 \\ -(x+y)-y=8 \end{cases} \Rightarrow \begin{cases} y=4 \\ -x-2y=8 \end{cases}$$

$$\therefore x=-16,\ y=4$$

그런데 $x<0$이므로 조건을 만족하지 않는다.

(iii) $x<0,\ x+y\geq0$일 때

$$\begin{cases} |x|-x+y=4 \\ |x+y|-y=8 \end{cases} \Rightarrow \begin{cases} -x-x+y=4 \\ x+y-y=8 \end{cases} \Rightarrow \begin{cases} -2x+y=4 \\ x=8 \end{cases}$$

$$\therefore x=8,\ y=20$$

그런데 $x>0$이므로 조건을 만족하지 않는다.

(iv) $x<0,\ x+y<0$일 때

$$\begin{cases} |x|-x+y=4 \\ |x+y|-y=8 \end{cases} \Rightarrow \begin{cases} -x-x+y=4 \\ -(x+y)-y=8 \end{cases} \Rightarrow \begin{cases} -2x+y=4 \\ -x-2y=8 \end{cases}$$

$x=-\dfrac{16}{5},\ y=-\dfrac{12}{5}$이므로

$$\dfrac{x}{y}=x\div y=-\dfrac{16}{5}\div\left(-\dfrac{12}{5}\right)$$

$$=-\dfrac{16}{5}\times\left(-\dfrac{5}{12}\right)=\dfrac{4}{3}$$

(i)~(iv)에서 $\dfrac{x}{y}$의 값은 $2,\ \dfrac{4}{3}$이다.

전략

$|A|=\begin{cases} A & (A\geq0) \\ -A & (A<0) \end{cases}$임을 이용한다.

4 답 0

$$\begin{cases} a+2b+4c+5d=100 & ……㉠ \\ a+3b+2c+5d=-100 & ……㉡ \\ 6a+4b+c-2d=100 & ……㉢ \\ 4a+3b+3c+2d=-100 & ……㉣ \end{cases}$$

㉠+㉣을 하면 $5(a+b)+7(c+d)=0$ ……㉤

㉡+㉢을 하면 $7(a+b)+3(c+d)=0$ ……㉥

㉤과 ㉥에서 $a+b=0,\ c+d=0$

$$\therefore a+b+c+d=0$$

전략

상수항끼리 더했을 때, 우변이 0이 되는 경우를 생각해 본다.

5 ⓐ 13

주어진 연립방정식의 각 식에서 양변을 역수로 나타내면

$$\begin{cases} \dfrac{xy}{x+y}=\dfrac{1}{3} \\ \dfrac{yz}{y+z}=\dfrac{1}{5} \\ \dfrac{zx}{z+x}=\dfrac{1}{4} \end{cases} \Rightarrow \begin{cases} \dfrac{x+y}{xy}=3 \\ \dfrac{y+z}{yz}=5 \\ \dfrac{z+x}{zx}=4 \end{cases} \Rightarrow \begin{cases} \dfrac{1}{y}+\dfrac{1}{x}=3 \quad\cdots\cdots\text{㉠} \\ \dfrac{1}{z}+\dfrac{1}{y}=5 \quad\cdots\cdots\text{㉡} \\ \dfrac{1}{x}+\dfrac{1}{z}=4 \quad\cdots\cdots\text{㉢} \end{cases}$$

㉠+㉡+㉢을 하면 $2\left(\dfrac{1}{x}+\dfrac{1}{y}+\dfrac{1}{z}\right)=12$

$\therefore \dfrac{1}{x}+\dfrac{1}{y}+\dfrac{1}{z}=6 \quad\cdots\cdots\text{㉣}$

㉣−㉠을 하면 $\dfrac{1}{z}=3$

㉣−㉡을 하면 $\dfrac{1}{x}=1$

㉣−㉢을 하면 $\dfrac{1}{y}=2$

$\therefore \dfrac{3xy+2yz+zx}{xyz}=\dfrac{3}{z}+\dfrac{2}{x}+\dfrac{1}{y}$

$\qquad\qquad\qquad =9+2+2=13$

전략

연립방정식의 각 식에서 양변을 역수로 나타낸다.

6 ⓐ $x=\dfrac{23}{10},\ y=\dfrac{23}{6},\ z=\dfrac{23}{2}$

$$\begin{cases} \dfrac{1}{x}+\dfrac{1}{y+z}=\dfrac{1}{2} \\ \dfrac{1}{y}+\dfrac{1}{z+x}=\dfrac{1}{3} \\ \dfrac{1}{z}+\dfrac{1}{x+y}=\dfrac{1}{4} \end{cases} \Rightarrow \begin{cases} \dfrac{x+y+z}{x(y+z)}=\dfrac{1}{2} \\ \dfrac{x+y+z}{y(z+x)}=\dfrac{1}{3} \\ \dfrac{x+y+z}{z(x+y)}=\dfrac{1}{4} \end{cases}$$

$$\Rightarrow \begin{cases} \dfrac{xy+zx}{x+y+z}=2 \quad\cdots\cdots\text{㉠} \\ \dfrac{yz+xy}{x+y+z}=3 \quad\cdots\cdots\text{㉡} \quad\cdots\cdots 20\% \\ \dfrac{zx+yz}{x+y+z}=4 \quad\cdots\cdots\text{㉢} \end{cases}$$

㉠+㉡+㉢을 하면 $\dfrac{2(xy+yz+zx)}{x+y+z}=9$

$\therefore \dfrac{xy+yz+zx}{x+y+z}=\dfrac{9}{2} \quad\cdots\cdots\text{㉣}$

㉣−㉠을 하면 $\dfrac{yz}{x+y+z}=\dfrac{5}{2} \quad\cdots\cdots\text{㉤}$

㉣−㉡을 하면 $\dfrac{zx}{x+y+z}=\dfrac{3}{2} \quad\cdots\cdots\text{㉥}$

㉣−㉢을 하면 $\dfrac{xy}{x+y+z}=\dfrac{1}{2} \quad\cdots\cdots\text{㉦}$

㉤÷㉥을 하면 $\dfrac{y}{x}=\dfrac{5}{3} \qquad \therefore y=\dfrac{5}{3}x$

㉤÷㉦을 하면 $\dfrac{z}{x}=5 \qquad \therefore z=5x \qquad\cdots\cdots 50\%$

따라서 $x:y:z=x:\dfrac{5}{3}x:5x=3:5:15$이므로

$x=3k,\ y=5k,\ z=15k\ (k\ne0)$로 놓고 ㉣에 대입하면

$\dfrac{15k^2+75k^2+45k^2}{3k+5k+15k}=\dfrac{9}{2} \qquad \therefore k=\dfrac{23}{30} \qquad\cdots\cdots 20\%$

$\therefore x=\dfrac{23}{10},\ y=\dfrac{23}{6},\ z=\dfrac{23}{2} \qquad\cdots\cdots 10\%$

전략

연립방정식의 각 식을 통분하고 역수로 나타낸다.

7 ⓐ -125

조건 ㈎에서 $x_1,\ x_2,\ x_3,\ \cdots,\ x_n$ 중에서 값이 0인 것의 개수를 a개, 값이 1인 것의 개수를 b개, 값이 -2인 것의 개수를 c개라 하면

조건 ㈏에서 $0\times a+1\times b+(-2)\times c=-5$

$\therefore b-2c=-5 \quad\cdots\cdots\text{㉠}$

조건 ㈐에서 $0^2\times a+1^2\times b+(-2)^2\times c=19$

$\therefore b+4c=19 \quad\cdots\cdots\text{㉡}$

㉠, ㉡을 연립하여 풀면 $b=3,\ c=4$

$\therefore x_1{}^5+x_2{}^5+\cdots+x_n{}^5=0^5\times a+1^5\times3+(-2)^5\times4$

$\qquad\qquad\qquad\qquad\quad =3-128=-125$

전략

조건 ㈎에서 $x_1,\ x_2,\ x_3,\ \cdots,\ x_n$ 중에서 값이 0인 것의 개수를 a개, 값이 1인 것의 개수를 b개, 값이 -2인 것의 개수를 c개로 놓고 조건 ㈏와 조건 ㈐를 이용하여 b와 c에 대한 연립방정식을 세운다.

8 ⓐ ④

①, ② 연속한 두 식을 변끼리 빼면

$x_1=x_4=x_7=\cdots$

$x_2=x_5=x_8=\cdots$

$x_3=x_6=x_9=\cdots$

③ n이 3의 배수일 때,

$x_1=x_4=x_7=\cdots=x_{n-2}$

$x_2=x_5=x_8=\cdots=x_{n-1}$

$x_3=x_6=x_9=\cdots=x_n$

④ n이 3의 배수일 때, $x_1=x_2=x_3$인지는 알 수 없다.

⑤ $n=10$일 때, 연속한 모든 식을 변끼리 더하면

$3(x_1+x_2+x_3+\cdots+x_{10})=90$

$\therefore x_1+x_2+x_3+\cdots+x_{10}=30$

이때 $x_1+x_2+x_3=9,\ x_4+x_5+x_6=9,\ x_7+x_8+x_9=9$이므로

$9+9+9+x_{10}=30 \qquad \therefore x_{10}=3$

마찬가지 방법으로 $x_1=x_2=x_3=\cdots=x_{10}=3$

참고

연속한 두 식을 변끼리 빼면

$x_1=x_4=x_7=\cdots=x_{n-2}$

$x_2=x_5=x_8=\cdots=x_{n-1}$

$x_3=x_6=x_9=\cdots=x_n$

(i) n이 3의 배수가 아니면

$x_1=x_2=x_3=\cdots=x_n$

(ii) $n=3k\,(k$는 자연수)이면

$x_1=x_4=x_7=\cdots=x_{3k-2}=s$

$x_2=x_5=x_8=\cdots=x_{3k-1}=t$

$x_3=x_6=x_9=\cdots=x_{3k}=9-(s+t)$

02 연립방정식의 활용

[확인 ❶] 답 27, 4

큰 수를 x, 작은 수를 y라 하면

$$\begin{cases} x+y=31 \\ x=6y+3 \end{cases} \quad \therefore x=27, y=4$$

따라서 구하는 두 수는 27, 4이다.

[확인 ❷] 답 효중: 분속 250 m, 경민: 분속 150 m

효중이의 속력을 분속 x m, 경민이의 속력을 분속 y m $(x>y)$라 하면

$$\begin{cases} 20x-20y=2000 \\ 5x+5y=2000 \end{cases} \Rightarrow \begin{cases} x-y=100 \\ x+y=400 \end{cases}$$

$\therefore x=250, y=150$

따라서 효중이의 속력은 분속 250 m, 경민이의 속력은 분속 150 m이다.

[확인 ❸] 답 10시간

전체 일의 양을 1이라 하고, A, B 두 사람이 한 시간 동안 할 수 있는 일의 양을 각각 x, y라 하면

$$\begin{cases} 6x+6y=1 \\ 9x+4y=1 \end{cases} \quad \therefore x=\dfrac{1}{15}, y=\dfrac{1}{10}$$

따라서 B가 혼자서 이 일을 끝마치려면 10시간이 걸린다.

[확인 ❹] 답 8 %의 소금물: 80 g, 3 %의 소금물: 120 g

8 %의 소금물의 양을 x g, 3 %의 소금물의 양을 y g이라 하면

$$\begin{cases} x+y=200 \\ \dfrac{8}{100}x+\dfrac{3}{100}y=\dfrac{5}{100}\times200 \end{cases} \Rightarrow \begin{cases} x+y=200 \\ 8x+3y=1000 \end{cases}$$

$\therefore x=80, y=120$

따라서 8 %의 소금물의 양은 80 g, 3 %의 소금물의 양은 120 g이다.

[확인 ❺] 답 여학생: 330명, 남학생: 240명

작년의 여학생 수를 x명, 남학생 수를 y명이라 하면

$$\begin{cases} x+y=600 \\ \dfrac{10}{100}x-\dfrac{20}{100}y=-30 \end{cases} \Rightarrow \begin{cases} x+y=600 \\ x-2y=-300 \end{cases}$$

$\therefore x=300, y=300$

따라서 올해의 여학생 수는 $300+\dfrac{10}{100}\times300=330$(명),

남학생 수는 $300-\dfrac{20}{100}\times300=240$(명)이다.

[확인 ❻] 답 12000원

A 제품의 원가를 x원, B 제품의 원가를 y원이라 하면

$$\begin{cases} x+y=35000 \\ 0.2x+0.3y=9500 \end{cases} \Rightarrow \begin{cases} x+y=35000 \\ 2x+3y=95000 \end{cases}$$

$\therefore x=10000, y=25000$

따라서 A 제품의 정가는

$10000+10000\times\dfrac{20}{100}=12000$(원)

STEP 1 | 억울하게 울리는 문제   pp. 064~066

1-1 84	**1-2** 25
2-1 13세	**2-2** 11세
3-1 삼각형: 14개, 사각형: 9개	
3-2 어른: 1000원, 어린이: 600원	
4-1 2 km	**4-2** 20 km
5-1 150 m	
5-2 속력: 초속 5 m, 길이: 100 m	
6-1 남학생: 380명, 여학생: 330명	
6-2 남학생: 450명, 여학생: 675명	
7-1 57 g	**7-2** 5명

1-1 답 84

처음 두 자리의 자연수의 십의 자리의 숫자를 x, 일의 자리의 숫자를 y라 하면

$$\begin{cases} x+y=12 \\ 10y+x=10x+y-36 \end{cases} \Rightarrow \begin{cases} x+y=12 \\ x-y=4 \end{cases}$$

$\therefore x=8, y=4$

따라서 처음 수는 84이다.

1-2 답 25

처음 두 자리의 자연수의 십의 자리의 숫자를 x, 일의 자리의 숫자를 y라 하면

$$\begin{cases} 3x=y+1 \\ 10y+x=2(10x+y)+2 \end{cases} \Rightarrow \begin{cases} 3x-y=1 \\ 19x-8y=-2 \end{cases}$$

$\therefore x=2, y=5$

따라서 처음 수는 25이다.

2-1 답 13세

현재 어머니의 나이를 x세, 아들의 나이를 y세라 하면

$$\begin{cases} x-y=26 \\ x+12=2(y+12)+1 \end{cases} \Rightarrow \begin{cases} x-y=26 \\ x-2y=13 \end{cases}$$

$\therefore x=39, y=13$

따라서 현재 아들의 나이는 13세이다.

2-2 답 11세

올해 민수의 부모님의 나이의 합을 x세, 민수의 나이를 y세라 하면

$$\begin{cases} x=8y \\ x-10=13(y-5) \end{cases} \Rightarrow \begin{cases} x=8y \\ x-13y=-55 \end{cases}$$

$\therefore x=88, y=11$

따라서 올해 민수의 나이는 11세이다.

3-1 ⑧ 삼각형: 14개, 사각형: 9개

만들 수 있는 삼각형의 개수를 x개, 사각형의 개수를 y개라 하면

$$\begin{cases} 3x+4y=78 \\ x+y=23 \end{cases} \quad \therefore x=14, y=9$$

따라서 만들 수 있는 삼각형의 개수는 14개, 사각형의 개수는 9개이다.

3-2 ⑧ 어른: 1000원, 어린이: 600원

어른 1명의 입장료를 x원, 어린이 1명의 입장료를 y원이라 하면

$$\begin{cases} 4x+10y=10000 \\ 5y=3x \end{cases} \implies \begin{cases} 2x+5y=5000 \\ 5y=3x \end{cases}$$

$$\therefore x=1000, y=600$$

따라서 어른 1명의 입장료는 1000원, 어린이 1명의 입장료는 600원이다.

4-1 ⑧ 2 km

세희가 걸은 거리를 x km, 뛴 거리를 y km라 하면

$$\begin{cases} x+y=3 \\ \dfrac{x}{4}+\dfrac{y}{10}=\dfrac{27}{60} \end{cases} \implies \begin{cases} x+y=3 \\ 5x+2y=9 \end{cases}$$

$$\therefore x=1, y=2$$

따라서 세희가 뛴 거리는 2 km이다.

참고

오전 8시에 집에서 출발하여 오전 8시 27분에 학교에 도착하였으므로 집에서 학교까지 가는 데 걸린 시간은 27분, 즉 $\dfrac{27}{60}$시간이다.

4-2 ⑧ 20 km

세현이가 걸은 거리를 x km, 버스를 탄 거리를 y km라 하면

$$\begin{cases} x+y=22 \\ \dfrac{x}{6}+\dfrac{y}{60}+\dfrac{5}{60}=\dfrac{45}{60} \end{cases} \implies \begin{cases} x+y=22 \\ 10x+y=40 \end{cases}$$

$$\therefore x=2, y=20$$

따라서 세현이가 버스를 탄 거리는 20 km이다.

참고

오전 7시 35분에 집을 나서서 오전 8시 20분에 학교에 도착하였으므로 집에서 학교까지 가는 데 걸린 시간은 45분, 즉 $\dfrac{45}{60}$시간이다.

5-1 ⑧ 150 m

기차의 속력을 초속 x m, 기차의 길이를 y m라 하면

$$\begin{cases} y+600=30x \\ y+1600=70x \end{cases} \quad \therefore x=25, y=150$$

따라서 기차의 길이는 150 m이다.

참고

1.6 km=1600 m, 1분 10초=70초

5-2 ⑧ 속력: 초속 5 m, 길이: 100 m

기차의 속력을 초속 x m, 기차의 길이를 y m라 하면

$$\begin{cases} y+1700=360x \\ y+50=30x \end{cases} \quad \therefore x=5, y=100$$

따라서 기차의 속력은 초속 5 m, 기차의 길이는 100 m이다.

참고

1.7 km=1700 m, 6분=360초

6-1 ⑧ 남학생: 380명, 여학생: 330명

작년의 남학생 수를 x명, 여학생 수를 y명이라 하면

$$\begin{cases} x+y=700 \\ -\dfrac{5}{100}x+\dfrac{10}{100}y=10 \end{cases} \implies \begin{cases} x+y=700 \\ x-2y=-200 \end{cases}$$

$$\therefore x=400, y=300$$

따라서 올해의 남학생 수는 $400-\dfrac{5}{100}\times400=380$(명),

여학생 수는 $300+\dfrac{10}{100}\times300=330$(명)이다.

6-2 ⑧ 남학생: 450명, 여학생: 675명

작년의 남학생 수를 x명, 여학생 수를 y명이라 하면

$$\begin{cases} \dfrac{102}{100}x+\dfrac{92}{100}y=1080 \\ \dfrac{96}{100}(x+y)=1080 \end{cases} \implies \begin{cases} 51x+46y=54000 \\ x+y=1125 \end{cases}$$

$$\therefore x=450, y=675$$

따라서 작년의 남학생 수는 450명, 여학생 수는 675명이다.

7-1 ⑧ 57 g

합금에 섞여 있는 금의 무게를 x g, 구리의 무게를 y g이라 하면

$$\begin{cases} x+y=73 \\ \dfrac{1}{19}x+\dfrac{1}{8}y=5 \end{cases} \implies \begin{cases} x+y=73 \\ 8x+19y=760 \end{cases}$$

$$\therefore x=57, y=16$$

따라서 합금에 섞여 있는 금의 무게는 57 g이다.

참고

물속에서 합금의 무게는 $73-68=5$ (g)만큼 덜 나간다.

7-2 ⑧ 5명

남학생 수를 x명, 여학생 수를 y명이라 하면

$$\begin{cases} x+y=35 \\ \dfrac{1}{10}x+\dfrac{1}{3}y=7 \end{cases} \implies \begin{cases} x+y=35 \\ 3x+10y=210 \end{cases}$$

$$\therefore x=20, y=15$$

따라서 안경을 낀 여학생 수는 $15\times\dfrac{1}{3}=5$(명)이다.

STEP 2	반드시 등수 올리는 문제	pp. 067~072

01 5회	**02** 475	
03 이모: 48세, 조카: 32세		**04** 4개
05 편지지: 60장, 봉투: 40장		
06 거리: 3 km, 예정 시간: 40분		**07** 24 km
08 $\frac{20}{3}$ km	**09** 6시간	**10** 1시간 12분
11 8	**12** $\frac{48}{7}$시간	**13** 100 g
14 소금물 A: 2 %, 소금물 B: 7 %		
15 소금물 A: 19 %, 소금물 B: 4 %		
16 3 : 17	**17** 합금 A: 200 g, 합금 B: 250 g	
18 315명	**19** A 제품: 25개, B 제품: 20개	
20 28800원	**21** 18000원	
22 노새: 18자루, 당나귀: 12자루		
23 금화 1개: 5마리, 은화 1개: 1마리		

01 🎯 5회

미선이가 이긴 횟수를 x회, 진 횟수를 y회라 하면 지유가 이긴 횟수는 y회, 진 횟수는 x회이므로

$$\begin{cases} 3x - 2y = 2 \\ 3y - 2x = 7 \end{cases} \quad \therefore x = 4, \ y = 5$$

따라서 지유가 이긴 횟수는 5회이다.

전략

(1) 계단을 올라가는 것을 $+$, 내려가는 것을 $-$로 생각한다.
(2) 가위바위보를 하여 이기면 a계단 올라가고 지면 b계단 내려갈 때, 어떤 사람이 x회 이기고 y회 졌다면 위치의 변화는 $(ax - by)$계단이다.
(3) A, B 두 사람이 가위바위보를 할 때, A가 이긴 횟수를 x회, 진 횟수를 y회라 하면 B가 이긴 횟수는 y회, 진 횟수는 x회이다.

02 🎯 475

처음 세 자리의 자연수의 백의 자리의 숫자를 x, 십의 자리의 숫자를 y, 일의 자리의 숫자를 z라 하면

$$\begin{cases} x + y + z = 16 \\ 100z + 10y + x = 100x + 10y + z + 99 \\ 3x = y + z \end{cases} \Rightarrow \begin{cases} x + y + z = 16 \\ x - z = -1 \\ 3x - y - z = 0 \end{cases}$$

$$\therefore x = 4, \ y = 7, \ z = 5$$

따라서 처음 수는 475이다.

전략

처음 세 자리의 자연수의 백의 자리의 숫자를 x, 십의 자리의 숫자를 y, 일의 자리의 숫자를 z로 놓고 연립방정식을 세운다.

03 🎯 이모: 48세, 조카: 32세

현재 이모의 나이를 x세, 조카의 나이를 y세라 하고 a년 전에 이모의 나이가 현재 조카의 나이였다고 하면

$$\begin{cases} x + y = 80 \\ x - a = y \\ y - a = \frac{1}{2}(x - a) \end{cases} \Rightarrow \begin{cases} x + y = 80 \\ x - y = a \\ x - 2y = -a \end{cases}$$

$$\therefore x = 48, \ y = 32, \ a = 16$$

따라서 현재 이모의 나이는 48세, 조카의 나이는 32세이다.

전략

현재와 몇 년 전의 이모와 조카의 나이에 대한 연립방정식을 세운다.

04 🎯 4개

100원짜리 동전의 개수를 x개, 500원짜리 동전의 개수를 y개라 하면 500원짜리 동전을 사용하여 450원짜리 음료수를 뽑고 받은 거스름돈은 50원이므로 50원짜리 동전의 개수도 y개이다.

$$\begin{cases} x + y = 15 \\ 100x + 50y = 2 \times 450 + 50 \end{cases} \Rightarrow \begin{cases} x + y = 15 \\ 2x + y = 19 \end{cases}$$

$$\therefore x = 4, \ y = 11$$

따라서 처음에 가지고 있던 100원짜리 동전의 개수는 4개이다.

전략

받은 거스름돈과 100원짜리 동전을 모두 합하면 $2 \times 450 + 50 = 950$(원)이다.

05 🎯 편지지: 60장, 봉투: 40장

편지지의 수를 x장, 봉투의 수를 y장이라 하면

$$\begin{cases} x - y = 20 \\ x - 3(y - 20) = 0 \end{cases} \Rightarrow \begin{cases} x - y = 20 \\ x - 3y = -60 \end{cases}$$

$$\therefore x = 60, \ y = 40$$

따라서 편지지 세트 속에 들어 있는 편지지는 60장, 봉투는 40장이다.

전략

예준이가 편지를 보낸 결과 편지지만 20장 남았으므로 예준이가 보낸 편지의 수는 y통이고, 수희가 편지를 보낸 결과 봉투만 20장 남았으므로 수희가 보낸 편지의 수는 $(y - 20)$통이다.

06 🎯 거리: 3 km, 예정 시간: 40분

집에서 약속 장소까지의 거리를 x km, 가는 데 걸리는 예정 시간을 y분이라 하면

$$\begin{cases} \dfrac{x}{5} = \dfrac{y}{60} - \dfrac{4}{60} \\ \dfrac{x}{4} = \dfrac{y}{60} + \dfrac{5}{60} \end{cases} \Rightarrow \begin{cases} 12x - y = -4 \\ 15x - y = 5 \end{cases}$$

$$\therefore x = 3, \ y = 40$$

따라서 집에서 약속 장소까지의 거리는 3 km, 가는 데 걸리는 예정 시간은 40분이다.

07 ⓐ 24 km

정지한 물에서의 유람선의 속력을 시속 x km, 강물의 속력을 시속 y km라 하면

$$\begin{cases} \dfrac{5}{3}(x+y)=30 \\ \dfrac{5}{2}(x-y)=30 \end{cases} \Rightarrow \begin{cases} x+y=18 \\ x-y=12 \end{cases}$$

$$\therefore x=15, y=3$$

따라서 정지한 물에서의 유람선의 속력은 시속 15 km, 강물의 속력은 시속 3 km이다.

이때 관광 코스를 따라 내려오는 거리를 a km라 하면

$$\dfrac{a}{15+3}+\dfrac{a}{15-3}=\dfrac{10}{3}, 5a=120 \qquad \therefore a=24$$

따라서 24 km를 내려왔다가 돌아가면 된다.

08 ⓐ $\dfrac{20}{3}$ km

대호가 걸은 거리를 x km, 자전거를 탄 거리를 y km라 하면

$$\begin{cases} \dfrac{x}{4}+\dfrac{y}{16}=\dfrac{x+y}{16}+\dfrac{1}{2} \\ \dfrac{x}{4}=\dfrac{x+2y}{16} \end{cases} \Rightarrow \begin{cases} 3x=8 \\ 3x=2y \end{cases}$$

$$\therefore x=\dfrac{8}{3}, y=4$$

따라서 학교와 도서관 사이의 거리는

$$\dfrac{8}{3}+4=\dfrac{20}{3} \text{ (km)}$$

09 ⓐ 6시간

전체 일의 양을 1이라 하고, A, B, C 세 사람이 한 시간 동안 할 수 있는 일의 양을 각각 x, y, z라 하면

$$\begin{cases} x+y+z=1 \\ 3z=1 \\ \dfrac{1}{2}x+\dfrac{3}{2}(y+z)=1 \end{cases} \Rightarrow \begin{cases} x+y+z=1 \\ 3z=1 \\ x+3y+3z=2 \end{cases}$$

$$\therefore x=\dfrac{1}{2}, y=\dfrac{1}{6}, z=\dfrac{1}{3}$$

따라서 이 일을 B가 혼자서 할 때, 6시간이 걸린다.

10 ⓐ 1시간 12분

물통에 물을 가득 채웠을 때의 물의 양을 1이라 하고, 세 수도꼭지 A, B, C에서 한 시간 동안 나오는 물의 양을 각각 x, y, z라 하면

$$\begin{cases} x+y+z=1 \\ 2(x+y)=1 \\ \dfrac{3}{2}(y+z)=1 \end{cases} \Rightarrow \begin{cases} x+y+z=1 \\ x+y=\dfrac{1}{2} \\ y+z=\dfrac{2}{3} \end{cases}$$

$$\therefore x=\dfrac{1}{3}, y=\dfrac{1}{6}, z=\dfrac{1}{2}$$

이때 두 수도꼭지 A, C를 함께 사용하여 물통에 물을 가득 채우는 데 걸리는 시간을 t시간이라 하면

$$t \times \left(\dfrac{1}{3}+\dfrac{1}{2}\right)=1, \dfrac{5}{6}t=1 \qquad \therefore t=\dfrac{6}{5}$$

따라서 두 수도꼭지 A, C를 함께 사용하여 물통에 물을 가득 채우는 데 걸리는 시간은 $\dfrac{6}{5}$시간, 즉 1시간 12분이다.

11 ⓐ 8

전체 일의 양을 1이라 하면 지은이는 하루에 $\dfrac{1}{x}$만큼, 준민이는 하루에 $\dfrac{1}{y}$만큼 일을 하므로

$$\begin{cases} \dfrac{1}{x}+\dfrac{1}{y}=\dfrac{2}{15} \\ 3\left(\dfrac{1}{x}+\dfrac{1}{y}\right)+\dfrac{6}{x}+\dfrac{2}{y}=1 \end{cases} \Rightarrow \begin{cases} \dfrac{1}{x}+\dfrac{1}{y}=\dfrac{2}{15} \\ \dfrac{9}{x}+\dfrac{5}{y}=1 \end{cases}$$

$\dfrac{1}{x}=X, \dfrac{1}{y}=Y$로 치환하면

$$\begin{cases} X+Y=\dfrac{2}{15} \\ 9X+5Y=1 \end{cases} \qquad \therefore X=\dfrac{1}{12}, Y=\dfrac{1}{20}$$

따라서 $\dfrac{1}{x}=\dfrac{1}{12}, \dfrac{1}{y}=\dfrac{1}{20}$이므로 $x=12, y=20$

$$\therefore y-x=20-12=8$$

12 답 $\frac{48}{7}$ 시간

물탱크에 물을 가득 채웠을 때의 물의 양을 1이라 하고, 한 시간 동안 A 호스로 채우는 물의 양을 x, B 호스, C 호스로 빼내는 물의 양을 각각 y, z라 하면

$\begin{cases} 6(x-y)=1 \\ \dfrac{16}{3}(x-z)=1 \\ \dfrac{48}{5}(x-y-z)=1 \end{cases}$ ⇒ $\begin{cases} x-y=\dfrac{1}{6} \\ x-z=\dfrac{3}{16} \\ x-y-z=\dfrac{5}{48} \end{cases}$

$\therefore x=\dfrac{1}{4},\ y=\dfrac{1}{12},\ z=\dfrac{1}{16}$

따라서 B 호스와 C 호스로 물을 완전히 빼내는 데 걸리는 시간은

$1 \div \left(\dfrac{1}{12}+\dfrac{1}{16}\right)=\dfrac{48}{7}$ (시간)

전략

물탱크에 물을 가득 채웠을 때의 물의 양을 1로 놓고 연립방정식을 세운다.

13 답 100 g

4 %의 소금물의 양을 $3x$ g, 6 %의 소금물의 양을 y g이라 하면 더 넣은 물의 양은 $2x$ g이므로

$\begin{cases} 3x+y+2x=600 \\ \dfrac{4}{100}\times 3x+\dfrac{6}{100}\times y=\dfrac{4.5}{100}\times 600 \end{cases}$ ⇒ $\begin{cases} 5x+y=600 \\ 2x+y=450 \end{cases}$

$\therefore x=50,\ y=350$

따라서 더 넣은 물의 양은 $2\times 50=100$ (g)이다.

전략

4 %의 소금물의 양과 더 넣은 물의 양의 비가 3 : 2이므로 4 %의 소금물의 양을 $3x$ g이라 하면 더 넣은 물의 양은 $2x$ g이다.

14 답 소금물 A : 2 %, 소금물 B : 7 %

처음 소금물 A의 농도를 x %, 소금물 B의 농도를 y %라 하면

$\begin{cases} \dfrac{x}{100}\times 60+\dfrac{y}{100}\times 40=4 \\ \dfrac{x}{100}\times 40+\dfrac{y}{100}\times 60=5 \end{cases}$ ⇒ $\begin{cases} 3x+2y=20 \\ 2x+3y=25 \end{cases}$

$\therefore x=2,\ y=7$

따라서 처음 소금물 A의 농도는 2 %, 소금물 B의 농도는 7 %이다.

전략

물을 증발시켜도 소금의 양은 변하지 않음을 이용하여 연립방정식을 세운다.

15 답 소금물 A : 19 %, 소금물 B : 4 %

처음 소금물 A의 농도를 x %, 소금물 B의 농도를 y %라 하면

(i) 소금물 A의 반을 소금물 B에 넣고 섞었을 때

소금물 B의 양은 $200+400=600$ (g)

소금물 B에 들어 있는 소금의 양은

$\dfrac{x}{100}\times 200+\dfrac{y}{100}\times 400=2x+4y$ (g)

(ii) (i)에서 얻은 소금물 B의 반을 소금물 A에 넣고 섞었을 때

소금물 A의 양은 $200+\dfrac{1}{2}\times 600=500$ (g)

소금물 A에 들어 있는 소금의 양은

$\dfrac{x}{100}\times 200+\dfrac{2x+4y}{2}=3x+2y$ (g)

또 소금물 B의 양은 $\dfrac{1}{2}\times 600=300$ (g)

소금물 B에 들어 있는 소금의 양은 $\dfrac{2x+4y}{2}=x+2y$ (g)

이때 섞은 후 두 소금물 A, B의 농도를 식으로 나타내면

$\begin{cases} \dfrac{3x+2y}{500}\times 100=13 \\ \dfrac{x+2y}{300}\times 100=9 \end{cases}$ ⇒ $\begin{cases} 3x+2y=65 \\ x+2y=27 \end{cases}$

$\therefore x=19,\ y=4$

따라서 처음 소금물 A의 농도는 19 %, 소금물 B의 농도는 4 %이다.

전략

섞은 후 두 소금물 A, B에 들어 있는 소금의 양을 각각 식으로 나타낸다.

16 답 3 : 17

소금물 A의 농도를 x %, 소금물 B의 농도를 y %라 하고, 두 소금물 A, B에서 덜어 낸 소금물의 양을 각각 m g이라 하면

$\begin{cases} \dfrac{x}{100}\times m+\dfrac{y}{100}\times m=\dfrac{1}{4}\times 2m \\ \left(\dfrac{x}{100}\times m+\dfrac{y}{100}\times m\right)+\dfrac{x}{100}\times 2m=\dfrac{1}{5}\times 4m \end{cases}$

⇒ $\begin{cases} x+y=50 \\ 3x+y=80 \end{cases}$

$\therefore x=15,\ y=35$

따라서 소금물 A의 농도는 15 %, 즉 $\dfrac{15}{100}=\dfrac{3}{20}$이므로 소금물 A에 들어 있는 소금의 양과 물의 양의 비는 3 : 17이다.

전략

(소금물의 양)=(소금의 양)+(물의 양)이므로 소금의 양과 물의 양의 비가 1 : 3이면 소금의 양과 소금물의 양의 비는 1 : 4이다. 즉 (소금의 양)$=\dfrac{1}{4}\times$(소금물의 양)이다.

17 답 합금 A : 200 g, 합금 B : 250 g

필요한 합금 A의 양을 x g, 합금 B의 양을 y g이라 하면

$\begin{cases} \dfrac{3}{4}x+\dfrac{2}{5}y=\dfrac{5}{9}\times 450 \\ \dfrac{1}{4}x+\dfrac{3}{5}y=\dfrac{4}{9}\times 450 \end{cases}$ ⇒ $\begin{cases} 15x+8y=5000 \\ 5x+12y=4000 \end{cases}$

$\therefore x=200,\ y=250$

따라서 필요한 합금 A의 양은 200 g, 합금 B의 양은 250 g이다.

전략

구리의 양과 아연의 양에 대한 연립방정식을 세운다.

18 답 315명

농구를 선택한 학생 중 남학생 수는 $150 \times \dfrac{3}{5} = 90$(명),

여학생 수는 $150 \times \dfrac{2}{5} = 60$(명)이다.

2학년 남학생 수를 $4x$명, 여학생 수를 $3x$명이라 하고, 야구를 선택한 남학생 수를 $6y$명, 여학생 수를 $5y$명이라 하면

$$\begin{cases} 4x = 90 + 6y \\ 3x = 60 + 5y \end{cases} \Rightarrow \begin{cases} 2x - 3y = 45 \\ 3x - 5y = 60 \end{cases}$$

$\therefore x = 45, y = 15$

따라서 2학년 전체 학생 수는 $7x = 7 \times 45 = 315$(명)이다.

전략
먼저 농구를 선택한 학생 중 남학생 수와 여학생 수를 구한다.

19 답 A 제품: 25개, B 제품: 20개

판매한 A 제품의 개수를 x개, B 제품의 개수를 y개라 하면

$$\begin{cases} x + y = 45 \\ \dfrac{30}{100} \times 1500 \times x + \dfrac{50}{100} \times 2000 \times y = 31250 \end{cases}$$

$$\Rightarrow \begin{cases} x + y = 45 \\ 9x + 20y = 625 \end{cases}$$

$\therefore x = 25, y = 20$

따라서 판매한 A 제품의 개수는 25개, B 제품의 개수는 20개이다.

20 답 28800원

할인하기 전 티셔츠의 판매 가격을 x원, 바지의 판매 가격을 y원이라 하면

$$\begin{cases} x + y = 56000 \\ \dfrac{15}{100}x + \dfrac{20}{100}y = 10200 \end{cases} \Rightarrow \begin{cases} x + y = 56000 \\ 3x + 4y = 204000 \end{cases}$$

$\therefore x = 20000, y = 36000$

따라서 할인한 바지의 판매 가격은

$36000 - 36000 \times \dfrac{20}{100} = 28800$(원)

21 답 18000원

A 제품의 원가를 x원, B 제품의 원가를 y원이라 하면

(A 제품의 판매 가격) $= x \times \dfrac{130}{100} \times \dfrac{90}{100} = \dfrac{117}{100}x$(원)

(A 제품의 이익) $= \dfrac{117}{100}x - x = \dfrac{17}{100}x$(원)

(B 제품의 판매 가격) $= y \times \dfrac{120}{100} \times \dfrac{90}{100} = \dfrac{108}{100}y$(원)

(B 제품의 이익) $= \dfrac{108}{100}y - y = \dfrac{8}{100}y$(원)

즉 연립방정식을 세우면

$$\begin{cases} x + y = 30000 \\ \dfrac{17}{100}x + \dfrac{8}{100}y = 4020 \end{cases} \Rightarrow \begin{cases} x + y = 30000 \\ 17x + 8y = 402000 \end{cases}$$

$\therefore x = 18000, y = 12000$

따라서 A 제품의 원가는 18000원이다.

전략
(1) (정가) = (원가) + (이익)
(2) (판매 가격) = (정가) − (할인 금액)
(3) (이익) = (판매 가격) − (원가)

22 답 노새: 18자루, 당나귀: 12자루

노새의 짐의 수를 x자루, 당나귀의 짐의 수를 y자루라 하면

$$\begin{cases} x + 2 = 2(y - 2) \\ x - 3 = y + 3 \end{cases} \Rightarrow \begin{cases} x - 2y = -6 \\ x - y = 6 \end{cases}$$

$\therefore x = 18, y = 12$

따라서 노새의 짐은 18자루, 당나귀의 짐은 12자루이다.

전략
노새가 당나귀에게서 a자루의 짐을 가져오면 당나귀의 짐은 a자루 줄어든다.

23 답 금화 1개: 5마리, 은화 1개: 1마리

금화 1개와 바꿀 수 있는 염소의 수를 x마리, 은화 1개와 바꿀 수 있는 염소의 수를 y마리라 하면

$$\begin{cases} 6x + 5y = 35 \\ x + 10y = 15 \end{cases} \qquad \therefore x = 5, y = 1$$

따라서 금화 1개와 바꿀 수 있는 염소는 5마리, 은화 1개와 바꿀 수 있는 염소는 1마리이다.

전략
금화 1개와 바꿀 수 있는 염소의 수를 x마리, 은화 1개와 바꿀 수 있는 염소의 수를 y마리로 놓고 연립방정식을 세운다.

STEP 3 | 전교 1등 확실하게 굳히는 문제   pp. 073~076

1 55점	2 4장	3 8곡
4 32	5 $\dfrac{550}{9}$ 분	6 6.71 g
7 24		

1 답 55점

50명 중 30명이 합격했으므로 불합격자는 20명이다.

합격자의 평균 점수를 x점, 불합격자의 평균 점수를 y점이라 하면

$$(50명의 평균 점수) = \dfrac{30x + 20y}{50} = \dfrac{3x + 2y}{5}(점)$$

합격자의 최저 합격 점수는

$\dfrac{3x + 2y}{5} - 2 = x - 20 = 2y - 5$이므로

$$\begin{cases} \dfrac{3x+2y}{5}-2=x-20 \\ x-20=2y-5 \end{cases} \Rightarrow \begin{cases} x-y=45 \\ x-2y=15 \end{cases}$$

$\therefore x=75,\ y=30$

따라서 합격자의 최저 합격 점수는

$x-20=75-20=55(점)$

2 답 4장

A가 가진 카드 중 숫자 1이 적힌 카드를 x장, 숫자 2가 적힌 카드를 y장, 숫자 3이 적힌 카드를 z장이라 하면 B가 가진 카드 중 숫자 1이 적힌 카드는 $(6-x)$장, 숫자 2가 적힌 카드는 $(5-y)$장, 숫자 3이 적힌 카드는 $(4-z)$장이므로

$$\begin{cases} x+y+z=9 \\ x+2y+3z=\{(6-x)+2(5-y)+3(4-z)\}+2 \\ 1^2\times x+2^2\times y+3^2\times z=\{1^2\times(6-x)+2^2\times(5-y)+3^2\times(4-z)\}-4 \end{cases}$$

$$\Rightarrow \begin{cases} x+y+z=9 \\ x+2y+3z=15 \\ x+4y+9z=29 \end{cases}$$

$\therefore x=4,\ y=4,\ z=1$

따라서 A가 가진 카드 중 숫자 2가 적힌 카드는 모두 4장이다.

3 답 8곡

처음 계획한 9분짜리 곡의 수를 x곡, 4분짜리 곡의 수를 y곡이라 하면

$$\begin{cases} 9x+4y+20+(x+y-2)=128 \\ 4x+9y+15+(x+y-2)=113 \end{cases} \Rightarrow \begin{cases} 2x+y=22 \\ x+2y=20 \end{cases}$$

$\therefore x=8,\ y=6$

따라서 처음 계획한 9분짜리 곡의 수는 8곡이다.

4 답 32

각 단계에서 세 학생 A, B, C가 갖게 된 사탕의 개수는 다음 표와 같다.

	A	B	C
1단계	$\frac{1}{2}p$개	$\frac{1}{2}p\times\frac{1}{2}=\frac{1}{4}p$(개)	$\frac{1}{2}p\times\frac{1}{2}=\frac{1}{4}p$(개)
2단계	$\frac{2}{3}q\times\frac{1}{2}=\frac{1}{3}q$(개)	$\frac{1}{3}q$개	$\frac{2}{3}q\times\frac{1}{2}=\frac{1}{3}q$(개)
3단계	$\frac{3}{4}r\times\frac{1}{2}=\frac{3}{8}r$(개)	$\frac{3}{4}r\times\frac{1}{2}=\frac{3}{8}r$(개)	$\frac{1}{4}r$개

학생 A가 갖게 된 사탕의 개수가 14개이므로

$\frac{1}{2}p+\frac{1}{3}q+\frac{3}{8}r=14$ ······ ㉠

학생 B가 갖게 된 사탕의 개수가 12개이므로

$\frac{1}{4}p+\frac{1}{3}q+\frac{3}{8}r=12$ ······ ㉡

학생 C가 갖게 된 사탕의 개수가 10개이므로

$\frac{1}{4}p+\frac{1}{3}q+\frac{1}{4}r=10$ ······ ㉢

㉠, ㉡, ㉢을 연립하여 풀면 $p=8,\ q=12,\ r=16$

$\therefore p+2q=8+2\times12=32$

5 답 $\frac{550}{9}$ 분

3 km는 3000 m이고, 시속 9 km는 분속 150 m이다.

은수가 출발한 후 지용이와 3번째로 만날 때까지 은수가 걸은 시간을 x분, 지용이가 걸은 시간을 y분이라 하면

$$\begin{cases} x=y+10 \\ 120x+150y=5\times3000 \end{cases} \Rightarrow \begin{cases} x-y=10 \\ 4x+5y=500 \end{cases}$$

$\therefore x=\frac{550}{9},\ y=\frac{460}{9}$

따라서 은수가 출발한 후 지용이와 3번째로 만나는 데 걸리는 시간은 $\frac{550}{9}$분이다.

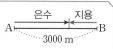
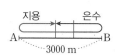
6 답 6.71 g

첫 번째 시행 후 각 컵에 들어 있는 소금의 양을 식으로 나타내면

컵 A: $\frac{10}{100}\times70+\frac{y}{100}\times30=7+\frac{3}{10}y$ (g)

컵 B: $\frac{x}{100}\times70+\frac{10}{100}\times30=\frac{7}{10}x+3$ (g)

컵 C: $\frac{y}{100}\times70+\frac{x}{100}\times30=\frac{3}{10}x+\frac{7}{10}y$ (g)

이때 첫 번째 시행 후 세 컵 A, B, C의 소금물의 농도는 각각 $\left(7+\dfrac{3}{10}y\right)\%$, $\left(\dfrac{7}{10}x+3\right)\%$, $\left(\dfrac{3}{10}x+\dfrac{7}{10}y\right)\%$이므로 두 번째 시행 후 컵 A, 컵 B에 들어 있는 소금의 양을 식으로 나타내면

컵 A: $\dfrac{7+\dfrac{3}{10}y}{100}\times70+\dfrac{\dfrac{3}{10}x+\dfrac{7}{10}y}{100}\times30=7.72$

$\therefore\ 3x+14y=94$ $\cdots\cdots\ \bigcirc$

컵 B: $\dfrac{\dfrac{7}{10}x+3}{100}\times70+\dfrac{7+\dfrac{3}{10}y}{100}\times30=8.57$

$\therefore\ 49x+9y=437$ $\cdots\cdots\ \bigcirc\!\!\bigcirc$

$\bigcirc$, $\bigcirc\!\!\bigcirc$을 연립하여 풀면 $x=8$, $y=5$

따라서 첫 번째 시행 후 컵 B의 소금물의 농도는

$\dfrac{7}{10}\times8+3=8.6\,(\%)$,

컵 C의 소금물의 농도는

$\dfrac{3}{10}\times8+\dfrac{7}{10}\times5=5.9\,(\%)$

이므로 두 번째 시행 후 컵 C에 들어 있는 소금의 양은

$\dfrac{5.9}{100}\times70+\dfrac{8.6}{100}\times30=6.71\,(\text{g})$

전략
첫 번째, 두 번째 시행 후 각 컵에 들어 있는 소금의 양을 식으로 나타내어 본다. 이때 소금물의 양이 100 g이므로 소금의 양이 a g이면 소금물의 농도는 $a\,\%$이다.

---

7 답 24

A 지점과 B 지점 사이의 거리를 x, B 지점과 C 지점 사이의 거리를 y라 하면 $\cdots\cdots$ 10%

(가)에서

$x+\dfrac{x+y}{2}=a$ $\cdots\cdots\ \bigcirc$ $\cdots\cdots$ 20%

지윤 ⟵ a ⟶
A ⟵ x ⟶ B $\cdots\cdots$ y $\cdots\cdots$ C
세준 ⟵ $\dfrac{x+y}{2}$ ⟶

(나)에서

$x+a=y$ $\cdots\cdots\ \bigcirc\!\!\bigcirc$ $\cdots\cdots$ 20%

지윤 ⟵ y ⟶
A ⟵ x ⟶ B y C
세준 ⟵ a ⟶

이때 지윤이와 세준이가 이동한 거리의 총합은 66이므로

$(x+y)+y=66$ $\cdots\cdots\ \bigcirc\!\!\bigcirc\!\!\bigcirc$ $\cdots\cdots$ 20%

$\bigcirc$, $\bigcirc\!\!\bigcirc$, $\bigcirc\!\!\bigcirc\!\!\bigcirc$을 연립하여 풀면

$x=6$, $y=30$, $a=24$ $\cdots\cdots$ 30%

전략
A 지점과 B 지점 사이의 거리를 x, B 지점과 C 지점 사이의 거리를 y로 놓고 그림으로 나타내어 본다.

V
일차함수

01 일차함수와 그래프

[확인 ①] 답 (1) × (2) × (3) ○

(1) $x=2$일 때, $y=1$, 2로 하나의 x의 값에 대하여 y의 값이 2개 이상 정해지는 것이 있으므로 함수가 아니다.

(2) $x=2$일 때, $y=2$, 4, 6, 8, $\cdots$로 하나의 x의 값에 대하여 y의 값이 2개 이상 정해지는 것이 있으므로 함수가 아니다.

(3) $x=1$일 때, $y=1$
$x=2$일 때, $y=2$
$x=3$일 때, $y=2$
$\vdots$
즉 하나의 x의 값에 대하여 y의 값이 하나씩 정해지므로 함수이다.

[확인 ②] 답 ①, ⑤

① $y=\dfrac{x(x-3)}{2}=\dfrac{1}{2}x^2-\dfrac{3}{2}x$ ➡ 일차함수가 아니다.

② $1:3=y:x$에서 $3y=x$ $\therefore\ y=\dfrac{1}{3}x$
➡ 일차함수이다.

③ $y=500-40x$ ➡ 일차함수이다.

④ $y=\dfrac{x}{100}\times300$에서 $y=3x$ ➡ 일차함수이다.

⑤ $y=\pi x^2$ ➡ 일차함수가 아니다.

따라서 일차함수가 아닌 것은 ①, ⑤이다.

[확인 ③] 답 $-\dfrac{2}{5}$

$-\dfrac{1}{5}=\dfrac{(y\text{의 값의 증가량})}{-3-(-5)}$이므로

$(y\text{의 값의 증가량})=-\dfrac{2}{5}$

[확인 ④] 답 ⑤

① $-3=-\dfrac{4}{3}\times3+1$이므로 점 $(3,\,-3)$을 지난다.

② $y=-\dfrac{4}{3}x+1$에 $y=0$을 대입하면 $x=\dfrac{3}{4}$
$y=-\dfrac{4}{3}x+1$에 $x=0$을 대입하면 $y=1$
따라서 x절편은 $\dfrac{3}{4}$이고, y절편은 1이다.

③ $y=-\dfrac{4}{3}x+1$의 그래프는 오른쪽 그림과 같으므로 제1, 2, 4 사분면을 지난다.

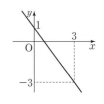

④ $y=-\dfrac{4}{3}x+1$의 그래프는 $y=-\dfrac{4}{3}x-10$의 그래프와 기울기가 같으므로 서로 평행하다.

⑤ x의 값이 증가할 때, y의 값은 감소한다.

[확인 ⑤] 답 -5

$y=ax+3$의 그래프가 점 $(1, 4)$를 지나므로

$4=a+3$ $\therefore a=1$

이때 $y=x+3$의 그래프를 y축의 방향으로 b만큼 평행이동한 그래프의 식은 $y=x+3+b$

위 식이 $y=cx-4$와 일치하므로

$c=1, 3+b=-4$에서 $b=-7$

$\therefore a+b+c=1+(-7)+1=-5$

STEP 1 | 억울하게 울리는 문제 pp. 080～082

1 (1) ○ (2) × (3) × (4) ○

2 (1) $\dfrac{3}{2}$ (2) 2, 4 (3) 있다 (4) 2, 3, 4

3 (1) $-\dfrac{b}{a}$, b (2) 위, 아래

4-1 $a=-4b-15$　　　　**4-2** 6

5-1 -15　　　　　　　　**5-2** 98

6-1 ㉠, ㉢　　　　　　　**6-2** ㉡, ㉢

7-1 ④　　　　　　　　　**7-2** 제4사분면

8-1 ⑤　　　　　　　　　**8-2** ④

---

1 답 (1) ○ (2) × (3) × (4) ○

(1) $y=20x$, 즉 하나의 x의 값에 대하여 y의 값이 하나씩 정해지므로 함수이다.

(2) $x=2$일 때, $y=1, 3, 5, \cdots$로 하나의 x의 값에 대하여 y의 값이 2개 이상 정해지는 것이 있으므로 함수가 아니다.

(3) $x=160$일 때, $y=45, 48, 50, \cdots$으로 하나의 x의 값에 대하여 y의 값이 2개 이상 정해지는 것이 있으므로 함수가 아니다.

(4) $\dfrac{1}{2}\times x\times y=8$에서 $y=\dfrac{16}{x}$, 즉 하나의 x의 값에 대하여 y의 값이 하나씩 정해지므로 함수이다.

---

2 답 (1) $\dfrac{3}{2}$ (2) 2, 4 (3) 있다 (4) 2, 3, 4

(1) $y=-\dfrac{2}{3}x+1$에 $y=0$을 대입하면 $x=\dfrac{3}{2}$

따라서 $y=-\dfrac{2}{3}x+1$의 그래프에서 x절편은 $\dfrac{3}{2}$이다.

(2) 일차함수 $y=ax+b$에서 $a<0$이고 $b=0$이면 그래프는 오른쪽 그림과 같으므로 제2, 4사분면을 지난다.

(4) 일차함수 $y=ax-b$의 그래프가 제1, 2, 4사분면을 지나면 $a<0, -b>0$에서 $b<0$

따라서 일차함수 $y=bx+a$의 그래프는 $b<0$, $a<0$이므로 오른쪽 그림과 같다. 즉 제2, 3, 4사분면을 지난다.

---

3 답 (1) $-\dfrac{b}{a}$, b (2) 위, 아래

(1) 일차함수 $y=ax+b$의 그래프에서 기울기는 a, x절편은 $-\dfrac{b}{a}$, y절편은 b이다.

(2) 일차함수 $y=-ax+b$의 그래프에서 $a<0$이면 $-a>0$이므로 오른쪽 위로 향하는 직선이고, $a>0$이면 $-a<0$이므로 오른쪽 아래로 향하는 직선이다.

4-1 답 $a=-4b-15$

세 점 $(2, -3)$, $(-2, a)$, $(3, b)$가 일직선 위에 있으므로

$\dfrac{a-(-3)}{-2-2}=\dfrac{b-(-3)}{3-2}$에서 $\dfrac{a+3}{-4}=b+3$

$a+3=-4b-12$ $\therefore a=-4b-15$

4-2 답 6

세 점 $(1, 2)$, $(5, k)$, $(2, 3)$이 일직선 위에 있으므로

$\dfrac{k-2}{5-1}=\dfrac{3-2}{2-1}$에서 $\dfrac{k-2}{4}=1$

$k-2=4$ $\therefore k=6$

5-1 답 -15

$\dfrac{f(2b)-f(3a)}{3a-2b}=6$에서 $\dfrac{f(2b)-f(3a)}{2b-3a}=-6$

즉 일차함수 $y=mx+n$의 그래프의 기울기는 -6이므로

$m=-6$

$y=-6x+n$의 그래프가 점 $(2, -3)$을 지나므로

$-3=-12+n$ $\therefore n=9$

$\therefore m-n=-6-9=-15$

5-2 답 98

일차함수 $y=f(x)$를 $y=ax+b\,(a\neq0)$라 하면

$\dfrac{f(50)-f(1)}{49}+\dfrac{f(49)-f(2)}{47}+\cdots+\dfrac{f(26)-f(25)}{1}$

$=\dfrac{f(50)-f(1)}{50-1}+\dfrac{f(49)-f(2)}{49-2}+\cdots+\dfrac{f(26)-f(25)}{26-25}$

$=\underbrace{a+a+a+\cdots+a}_{25개}$

$=25a$

즉 $25a=50$에서 $a=2$

따라서 $f(x)=2x+b$이므로

$f(50)-f(1)=2\times50+b-(2\times1+b)=98$

6-1 <답> ㉠, ㉢

㉠ 직선 l은 오른쪽 위로 향하는 직선이므로 기울기는 양수이다.

㉡ 두 점 $(1, 0)$, $(0, 1)$을 지나는 직선이 직선 m보다 y축에 가까우므로 직선 m의 기울기의 절댓값은 1보다 작다.

㉢ 점 $(1, 0)$과 점 $\mathrm{P}(x_1, y_1)$을 지나는 직선 n의 기울기는

$$\frac{y_1 - 0}{x_1 - 1} = \frac{y_1}{x_1 - 1}$$

점 $(0, 1)$과 점 $\mathrm{Q}(x_2, y_2)$를 지나는 직선 m의 기울기는

$$\frac{y_2 - 1}{x_2 - 0} = \frac{y_2 - 1}{x_2}$$

이때 두 직선 m, n은 모두 오른쪽 아래로 향하는 직선이므로 기울기는 음수이고, 직선 n이 직선 m보다 y축에 가깝다.

$$\therefore \frac{y_1}{x_1 - 1} < \frac{y_2 - 1}{x_2}$$

따라서 옳은 것은 ㉠, ㉢이다.

6-2 <답> ㉡, ㉢

두 점 A, P를 지나는 직선의 기울기는 $\dfrac{b}{a}$

두 점 P, C를 지나는 직선의 기울기는 $\dfrac{d}{c}$

두 점 A, C를 지나는 직선의 기울기는 $\dfrac{b+d}{a+c}$

㉠ 두 점 A, P를 지나는 직선의 기울기가 두 점 P, C를 지나는 직선의 기울기보다 작으므로

$$\frac{b}{a} < \frac{d}{c}$$

㉡ 두 점 A, P를 지나는 직선의 기울기가 두 점 A, C를 지나는 직선의 기울기보다 작으므로

$$\frac{b}{a} < \frac{b+d}{a+c}$$

㉢ 두 점 A, C를 지나는 직선의 기울기가 두 점 P, C를 지나는 직선의 기울기보다 작으므로

$$\frac{b+d}{a+c} < \frac{d}{c}$$

따라서 옳은 것은 ㉡, ㉢이다.

7-1 <답> ④

$y = -ax + b$의 그래프가 오른쪽 위로 향하는 직선이므로

$-a > 0$ $\therefore a < 0$

y절편이 양수이므로 $b > 0$

따라서 $-b < 0$, $a < 0$이므로

$y = -bx + a$의 그래프는 오른쪽 그림과 같다.

7-2 <답> 제4사분면

$y = -ax + b$의 그래프가 오른쪽 아래로 향하는 직선이므로

$-a < 0$ $\therefore a > 0$

y절편이 양수이므로 $b > 0$

따라서 $\dfrac{a}{b} > 0$, $\dfrac{1}{b} > 0$이므로 $y = \dfrac{a}{b}x + \dfrac{1}{b}$

의 그래프는 오른쪽 그림과 같이 제4사분면을 지나지 않는다.

8-1 <답> ⑤

$y = ax + b + 1$의 그래프가 오른쪽 위로 향하는 직선이므로

$a > 0$

$(y$절편$) = b + 1 < 1$ $\therefore b < 0$

점 $(-1, 0)$을 지나므로

$0 = -a + b + 1$ $\therefore a - b - 1 = 0$

$x = 2$일 때, $y > 0$이므로

$2a + b + 1 > 0$ $\therefore 2a + b > -1$

따라서 옳은 것은 ⑤이다.

8-2 <답> ④

$y = -ax + b + 1$의 그래프가 오른쪽 아래로 향하는 직선이므로

$-a < 0$ $\therefore a > 0$

$(y$절편$) = b + 1 = 1$ $\therefore b = 0$

점 $(1, 0)$을 지나므로

$0 = -a + b + 1$ $\therefore a - b - 1 = 0$

$x = -1$일 때, $y > 0$이므로

$a + b + 1 > 0$

따라서 옳은 것은 ④이다.

> **참고**
> 그래프가 두 점 $(0, 1)$, $(1, 0)$을 지나므로
> $-a = \dfrac{0-1}{1-0} = -1$ $\therefore a = 1$

STEP 2 | 반드시 등수 올리는 문제   pp. 083~086

01 ㉡, ㉣, ㉤, ㉥	02 4	03 -2
04 $\dfrac{1}{3}$	05 $\dfrac{11}{2}$	06 -4
07 $\dfrac{4}{3}$	08 ⑤	09 ㉠, ㉡
10 $-3 \le k \le 0$	11 $\dfrac{1}{3}$	12 12
13 -8, 0	14 -7	15 7
16 15	17 $\dfrac{16}{3}$	

01 <답> ㉡, ㉣, ㉤, ㉥

㉠ $x = 2$일 때, 2보다 작은 소수는 없다. 즉 하나의 x의 값에 대하여 y의 값이 없는 경우가 있으므로 함수가 아니다.

ⓒ 하나의 자연수 x에 대하여 그 모든 약수의 합 y의 값은 하나로 정해지므로 함수이다.

ⓒ $x=1$일 때 $y=-1, 1$이다. 즉 하나의 x의 값에 대하여 y의 값이 2개 정해지는 경우가 있으므로 함수가 아니다.

ⓔ 1분은 60초이므로 $y=60x$, 즉 하나의 x의 값에 대하여 y의 값이 하나씩 정해지므로 함수이다.

ⓜ $y=6x^2$, 즉 하나의 x의 값에 대하여 y의 값이 하나씩 정해지므로 함수이다.

ⓗ $y=\dfrac{x}{100}\times 200=2x$, 즉 하나의 x의 값에 대하여 y의 값이 하나씩 정해지므로 함수이다.

따라서 함수인 것은 ⓒ, ⓔ, ⓜ, ⓗ이다.

> **전략**
> x의 값이 하나 정해질 때, y의 값이 정해지지 않거나 y의 값이 2개 이상 정해지면 함수가 아니다.

02 답 4

$35=4\times 8+3$이므로 $f(35)=3$
$36=4\times 9$이므로 $f(36)=0$
$37=4\times 9+1$이므로 $f(37)=1$
$\therefore f(35)+f(36)+f(37)=3+0+1=4$

> **전략**
> x를 4로 나눈 나머지는 0, 1, 2, 3 중 하나이다.

03 답 -2

$f(2)=6$에서 $2a+2-2+a=6$
$3a=6$　$\therefore a=2$
$f(x)=ax+2-x+a$에 $a=2$를 대입하면
$f(x)=2x+2-x+2=x+4$
$f(0)=4, f(k)=k+4$이므로 $f(0)=2f(k)$에서
$4=2(k+4), 4=2k+8$
$-2k=4$　$\therefore k=-2$

> **전략**
> 먼저 $f(2)=6$임을 이용하여 a의 값을 구한다.

04 답 $\dfrac{1}{3}$

$f(x)=-\dfrac{1}{3}x$에서 $f(1)=-f(a+b)$이므로
$-\dfrac{1}{3}=\dfrac{1}{3}(a+b)$　$\therefore a+b=-1$
$\therefore f(a)+f(b)=-\dfrac{1}{3}a-\dfrac{1}{3}b$
$=-\dfrac{1}{3}(a+b)$
$=-\dfrac{1}{3}\times(-1)=\dfrac{1}{3}$

05 답 $\dfrac{11}{2}$

$\dfrac{3x+2}{x-1}=1$에서 $3x+2=x-1$
$2x=-3$　$\therefore x=-\dfrac{3}{2}$
따라서 $f\left(\dfrac{3x+2}{x-1}\right)=-3x+1$에 $x=-\dfrac{3}{2}$을 대입하면
$f(1)=-3\times\left(-\dfrac{3}{2}\right)+1=\dfrac{11}{2}$

> **전략**
> $\dfrac{3x+2}{x-1}=1$일 때의 x의 값을 구한다.

06 답 -4

$f(x)=ax+b$의 그래프의 기울기가 최소가 되려면
$f(-2)=6, f(3)=-4$이어야 한다.
즉 $6=-2a+b$, $-4=3a+b$를 연립하여 풀면
$a=-2, b=2$
$\therefore ab=-2\times 2=-4$

> **전략**
> 기울기가 최소가 되려면 오른쪽 아래로 향하는 직선이어야 한다.

07 답 $\dfrac{4}{3}$

점 B의 좌표를 $(p, 0)$이라 하면 $\mathrm{A}(p, ap+3)$, $\mathrm{C}(p, bp+3)$
이때 $\dfrac{3}{4}\overline{\mathrm{AC}}=\overline{\mathrm{OB}}$이므로
$\dfrac{3}{4}\{ap+3-(bp+3)\}=p$
$\dfrac{3}{4}(a-b)p=p$
이때 $p>0$이므로 $\dfrac{3}{4}(a-b)=1$
$\therefore a-b=\dfrac{4}{3}$

> **전략**
> 점 A가 제1사분면 위의 점이므로 점 A의 x좌표는 양수이다.

08 답 ⑤

$y=\dfrac{b}{a}x+\dfrac{b}{c}$의 그래프가 오른쪽 위로 향하는 직선이므로 $\dfrac{b}{a}>0$
y절편이 양수이므로 $\dfrac{b}{c}>0$
즉 a, b, c의 부호는 모두 같으므로 $-\dfrac{a}{b}<0$, $\dfrac{c}{a}>0$
따라서 $y=-\dfrac{a}{b}x+\dfrac{c}{a}$의 그래프는 오른쪽 그림과 같다.
⑤ a와 c의 부호가 같으므로 a의 절댓값과 c의 절댓값이 같으면 y절편은 $\dfrac{c}{a}=1$이다.

09 답 ㉠, ㉡

㉠ 두 일차함수의 그래프는 모두 오른쪽 아래로 향하는 직선이고,
$y=cx+d$의 그래프가 $y=ax+b$의 그래프보다 y축에 더 가
까우므로
$c<a<0$

㉡ $y=ax+b$의 그래프에서 $x=1$일 때, $y>0$이므로
$a+b>0$

㉢ $y=cx+d$의 그래프에서 $x=1$일 때, $y<0$이므로
$c+d<0$

㉣ $y=ax+b$의 그래프의 x절편은 $-\dfrac{b}{a}$, $y=cx+d$의 그래프의

x절편은 $-\dfrac{d}{c}$이고 $-\dfrac{b}{a}>-\dfrac{d}{c}$이므로 $\dfrac{b}{a}<\dfrac{d}{c}$

따라서 옳은 것은 ㉠, ㉡이다.

10 답 $-3\leq k\leq 0$

(i) $y=2x+k$의 그래프가 점 A$(1,2)$
를 지날 때
$2=2+k$ ∴ $k=0$

(ii) $y=2x+k$의 그래프가 점 B$(3,3)$
을 지날 때
$3=6+k$ ∴ $k=-3$

(i), (ii)에서 $-3\leq k\leq 0$

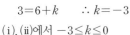

11 답 $\dfrac{1}{3}$

(i) $y=ax-1$의 그래프가 점 A$(3,4)$
를 지날 때
$4=3a-1$ ∴ $a=\dfrac{5}{3}$

(ii) $y=ax-1$의 그래프가 점 B$(5,0)$
을 지날 때
$0=5a-1$ ∴ $a=\dfrac{1}{5}$

(i), (ii)에서 $\dfrac{1}{5}\leq a\leq \dfrac{5}{3}$

따라서 $M=\dfrac{5}{3}$, $m=\dfrac{1}{5}$이므로 $Mm=\dfrac{5}{3}\times\dfrac{1}{5}=\dfrac{1}{3}$

12 답 12

(i) $y=ax+b$의 그래프가 두 점
A$(3,4)$, D$(-1,-3)$을 지날 때
a의 값이 최대가 되므로
$a=\dfrac{-3-4}{-1-3}=\dfrac{7}{4}$

(ii) $y=ax+b$의 그래프가 두 점
B$(3,2)$, C$(-2,-3)$을 지날 때
a의 값이 최소가 되므로
$a=\dfrac{-3-2}{-2-3}=1$

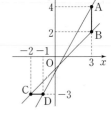

(i), (ii)에서 $M=\dfrac{7}{4}$, $m=1$이므로

$4M+5m=4\times\dfrac{7}{4}+5\times 1=12$

13 답 $-8, 0$

두 일차함수의 그래프가 평행하므로 $a=2$
$y=2x-6$에 $y=0$을 대입하면
$0=2x-6$, $2x=6$ ∴ $x=3$
즉 $y=2x-6$의 그래프의 x절편은 3이고 $\overline{AB}=2$이므로
$y=2x+b$의 그래프의 x절편은 1 또는 5이다.

(i) $y=2x+b$의 그래프가 점 $(1,0)$을 지날 때
$0=2+b$ ∴ $b=-2$
∴ $a+b=2+(-2)=0$

(ii) $y=2x+b$의 그래프가 점 $(5,0)$을 지날 때
$0=10+b$ ∴ $b=-10$
∴ $a+b=2+(-10)=-8$

(i), (ii)에서 $a+b$의 값은 $-8, 0$이다.

14 답 -7

$y=ax+3-a$에서 $(x-1)a+3-y=0$
즉 그래프는 a의 값에 관계없이 항상 점 P$(1,3)$을 지난다.
이때 일차함수 $y=bx+c$의 그래프가 일차함수 $y=-2x-1$의
그래프와 평행하므로 $b=-2$
$y=-2x+c$에 $x=1$, $y=3$을 대입하면
$3=-2+c$ ∴ $c=5$
∴ $b-c=-2-5=-7$

$y=ax+3-a$에서 $(x-1)a+3-y=0$
이 식이 a의 값에 관계없이 성립하려면 $x-1=0, 3-y=0$이어야 한다.

15 ❶ 7

세 점 A$(-3, 2)$, B$(-4, a)$, C$(-1, b)$가 일직선 위에 있으므로 $\dfrac{a-2}{-4-(-3)}=\dfrac{b-2}{-1-(-3)}$

$2a-4=-b+2$

$\therefore 2a+b=6$

또 세 점 A, B, C를 지나는 직선이 일차함수 $f(x)=mx+n$의 그래프와 일치하므로 $f(x)=mx+n$에 점 A$(-3, 2)$의 좌표를 대입하면

$-3m+n=2$ ······ ㉠

$f(1)=-4$이므로

$m+n=-4$ ······ ㉡

㉠, ㉡을 연립하여 풀면 $m=-\dfrac{3}{2}$, $n=-\dfrac{5}{2}$

$\therefore 2a+b+m-n=6+\left(-\dfrac{3}{2}\right)-\left(-\dfrac{5}{2}\right)=7$

다른 풀이

일차함수 $y=mx+n$의 그래프가 두 점 $(-3, 2)$, $(1, -4)$를 지나므로 $m=\dfrac{-4-2}{1-(-3)}=-\dfrac{3}{2}$

$y=-\dfrac{3}{2}x+n$에 $x=1$, $y=-4$를 대입하면

$-4=-\dfrac{3}{2}+n$ $\therefore n=-\dfrac{5}{2}$

16 ❶ 15

$y=-x+20$에 $y=0$을 대입하면

$0=-x+20$, $x=20$ $\therefore$ A$(20, 0)$

$y=-x+20$에 $x=0$을 대입하면

$y=20$ $\therefore$ B$(0, 20)$

점 P의 x좌표를 p라 하면 P$(p, -p+20)$

$\triangle$OPB$=\dfrac{1}{2}\times 20\times p=10p$

$\triangle$OQP$=\dfrac{1}{2}\times p\times(-p+20)=\dfrac{1}{2}p(-p+20)$

이때 $\triangle$OPB$=4\triangle$OQP이므로

$10p=4\times\dfrac{1}{2}p(-p+20)$

$10p=2p(-p+20)$

이때 $p>0$이므로 양변을 $2p$로 나누면

$5=-p+20$ $\therefore p=15$

따라서 점 P의 x좌표는 15이다.

점 P의 x좌표를 p로 놓고 $\triangle$OPB, $\triangle$OQP의 넓이를 p를 사용하여 나타낸다.

17 ❶ $\dfrac{16}{3}$

두 일차함수의 그래프는 점 $(k, 4)$에서 만나므로

$4=ak+b$, $4=-bk-a$

위의 두 식을 변끼리 빼면 $0=(a+b)k+(a+b)$

$\therefore k=-1$

즉 두 일차함수의 그래프는 점 $(-1, 4)$에서 만난다.

$y=ax+b$의 그래프의 y절편은 b, $y=-bx-a$의 그래프의 y절편은 $-a$이고 두 일차함수의 그래프와 y축으로 둘러싸인 부분의 넓이가 4이므로

$\dfrac{1}{2}\times\{b-(-a)\}\times 1=4$ $\therefore a+b=8$ ······ ㉠

또 일차함수 $y=ax+b$의 그래프가 점 $(-1, 4)$를 지나므로

$4=-a+b$ $\therefore a-b=-4$ ······ ㉡

㉠, ㉡을 연립하여 풀면 $a=2$, $b=6$

따라서 $y=2x+6$의 그래프의 x절편은 -3, $y=-6x-2$의 그래프의 x절편은 $-\dfrac{1}{3}$이므로 두 일차함수의 그래프와 x축으로 둘러싸인 부분의 넓이는

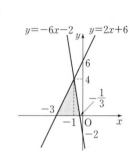

$\dfrac{1}{2}\times\left\{-\dfrac{1}{3}-(-3)\right\}\times 4=\dfrac{16}{3}$

먼저 k의 값을 구한 후 두 일차함수의 그래프와 y축으로 둘러싸인 부분의 넓이가 4임을 이용하여 a, b의 값을 각각 구한다.

STEP 3 | 전교 1등 확실하게 굳히는 문제 pp.087~089

1 3	**2** 10	**3** $(6, 0)$
4 $l-$㉡, $m-$㉢, $n-$㉠		
5 $a=4, b=-6$	**6** $-\dfrac{1}{3}$	**7** $-\dfrac{3}{25}$

1 ❶ 3

㉠ $f(3x)=f(x)$에서

$f(135)=f(3\times 45)=f(45)$

$f(45)=f(3\times 15)=f(15)$

$f(15)=f(3\times 5)=f(5)$

$\therefore f(135)=f(5)$

㉡ $f(2x-1)=x$에서 $2x-1=5$이면

$2x=6$ $\therefore x=3$, 즉 $f(5)=3$

㉠, ㉡에서 $f(135)=f(5)=3$

$135=3\times 45$, $45=3\times 15$, $15=3\times 5$임을 이용하여 $f(135)=f(5)$임을 안다.

2 답 10

$f(m)+m=f(n)+n$에서 $f(m)-f(n)=n-m$

$\therefore \dfrac{f(n)-f(m)}{n-m}=-1$

따라서 일차함수 $y=f(x)$의 그래프의 기울기가 -1이므로

$f(x)=-x+b$라 하면

$f(-2)+f(2)=12$에서

$(2+b)+(-2+b)=12,\ 2b=12 \qquad \therefore b=6$

따라서 $f(x)=-x+6$이므로

$f(-4)=-(-4)+6=10$

전략

(기울기)$=\dfrac{(y\text{의 값의 증가량})}{(x\text{의 값의 증가량})}$임을 이용한다.

3 답 $(6,\,0)$

$B(a,\,0),\ C(b,\,0)$이라 하면

$A\left(a,\ \dfrac{2}{3}a\right),\ D(b,\,-b+14)$ ⋯⋯ 30%

이때 사각형 ABCD는 정사각형이므로 $\overline{AB}=\overline{BC}$에서

$\dfrac{2}{3}a=b-a \qquad \therefore 5a-3b=0$ ⋯⋯ ㉠

또 $\overline{AB}=\overline{CD}$에서

$\dfrac{2}{3}a=-b+14 \qquad \therefore 2a+3b=42$ ⋯⋯ ㉡

㉠, ㉡을 연립하여 풀면 $a=6,\ b=10$ ⋯⋯ 50%

따라서 점 B의 좌표는 $(6,\,0)$이다. ⋯⋯ 20%

전략

$B(a,\,0),\ C(b,\,0)$으로 놓고 두 점 A, D의 좌표를 $a,\,b$를 사용하여 각각 나타낸다.

4 답 $l-$㉡, $m-$㉢, $n-$㉠

㉡과 ㉢의 그래프의 기울기는 같은 부호이고, ㉠의 그래프의 기울기는 ㉡, ㉢의 그래프의 기울기와 다른 부호이다.

이때 직선 $m,\ l$의 그래프는 오른쪽 아래로 향하는 직선이고, 직선 n의 그래프는 오른쪽 위로 향하는 직선이므로 ㉠의 그래프는 직선 n이다.

즉 ㉠ $y=-ax+\dfrac{3}{b}$의 그래프는 오른쪽 위로 향하는 직선이고 y절편이 양수이므로

$-a>0,\ \dfrac{3}{b}>0 \qquad \therefore a<0,\ b>0$

따라서 $\dfrac{1}{a}<0$이고 $a-b<0$이므로 ㉡ $y=\dfrac{x}{a}+a-b$의 그래프는 직선 l이다.

또 $2a<0$이고 $b>0$이므로 ㉢ $y=2ax+b$의 그래프는 직선 m이다.

전략

주어진 그래프의 기울기와 y절편의 부호를 알아본다.

5 답 $a=4,\ b=-6$

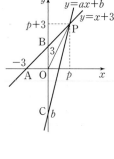

$y=x+3$에 $y=0$을 대입하면

$0=x+3,\ x=-3 \qquad \therefore A(-3,\,0)$

$y=x+3$에 $x=0$을 대입하면

$y=3 \qquad \therefore B(0,\,3)$

$y=ax+b$에 $x=0$을 대입하면

$y=b \qquad \therefore C(0,\,b)$

점 P의 x좌표를 p라 하면

$P(p,\,p+3)$

$\triangle PAO=\dfrac{1}{2}\times 3\times(p+3)=\dfrac{3}{2}(p+3)$

$\triangle AOB=\dfrac{1}{2}\times 3\times 3=\dfrac{9}{2}$

이때 $\triangle PAO=2\triangle AOB$이므로

$\dfrac{3}{2}(p+3)=2\times\dfrac{9}{2},\ p+3=6$

$\therefore p=3$, 즉 $P(3,\,6)$

$\triangle PBC=\dfrac{1}{2}\times(3-b)\times 3=\dfrac{3}{2}(3-b)$

$\triangle PBC=3\triangle AOB$에서

$\dfrac{3}{2}(3-b)=3\times\dfrac{9}{2},\ 3-b=9 \qquad \therefore b=-6$

즉 $y=ax-6$의 그래프가 점 $P(3,\,6)$을 지나므로

$6=3a-6,\ 3a=12 \qquad \therefore a=4$

전략

점 P의 x좌표를 p로 놓고 $\triangle PAO$, $\triangle AOB$, $\triangle PBC$의 넓이를 구한다.

6 답 $-\dfrac{1}{3}$

$y=-\dfrac{4}{3}x+4$에 $y=0$을 대입하면

$0=-\dfrac{4}{3}x+4,\ \dfrac{4}{3}x=4$

$\therefore x=3$, 즉 $A(3,\,0)$

$y=-\dfrac{4}{3}x+4$에 $x=0$을 대입하면

$y=4 \qquad \therefore B(0,\,4)$

$y=ax+2$에 $x=0$을 대입하면

$y=2 \qquad \therefore C(0,\,2)$

$\triangle OAB=\dfrac{1}{2}\times 3\times 4=6$

점 D의 x좌표를 p라 하면

$\triangle BCD=\dfrac{1}{2}\times 2\times p=p$

$\triangle BCD$의 넓이와 사각형 COAD의 넓이의 비가 $1:2$이므로

$\triangle BCD=\dfrac{1}{1+2}\times\triangle OAB$에서

$p=\dfrac{1}{3}\times 6=2$

$y=-\dfrac{4}{3}x+4$에 $x=2$를 대입하면

$y=-\dfrac{4}{3}\times2+4=\dfrac{4}{3}$ $\therefore \mathrm{D}\left(2,\ \dfrac{4}{3}\right)$

$y=ax+2$에 $x=2$, $y=\dfrac{4}{3}$를 대입하면

$\dfrac{4}{3}=2a+2$, $2a=-\dfrac{2}{3}$ $\therefore a=-\dfrac{1}{3}$

> **전략**
>
> 점 D의 x좌표를 p로 놓고 $\triangle\mathrm{BCD}$의 넓이와 사각형 COAD의 넓이의 비가 $1:2$임을 이용하여 p의 값을 구한다.

7 답 $-\dfrac{3}{25}$

오른쪽 그림과 같이 꼭짓점 B에서 $\overline{\mathrm{ED}}$에 내린 수선의 발을 F라 하면

$\mathrm{F}(3,\ 2)$

(사각형 ABFE의 넓이)

$=\triangle\mathrm{ABF}+\triangle\mathrm{AFE}$

$=\dfrac{1}{2}\times5\times2+\dfrac{1}{2}\times1\times2=6$

(사각형 BCDF의 넓이)$=\dfrac{1}{2}\times(5+4)\times2=9$

(오각형 ABCDE의 넓이)

$=$(사각형 ABFE의 넓이)$+$(사각형 BCDF의 넓이)

$=6+9=15$

이때 점 B를 지나면서 오각형 ABCDE의 넓이를 이등분하는 직선은 $\overline{\mathrm{FD}}$와 만난다.

이 직선이 $\overline{\mathrm{FD}}$와 만나는 점을 $\mathrm{P}(3,\ a)$라 하면

$\triangle\mathrm{BPF}=\dfrac{1}{2}\times5\times(2-a)=\dfrac{5}{2}(2-a)$

(사각형 BCDP의 넓이)

$=$(사각형 BCDF의 넓이)$-\triangle\mathrm{BPF}$

$=9-\dfrac{5}{2}(2-a)$

$=4+\dfrac{5}{2}a$

(사각형 BCDP의 넓이)$=\dfrac{1}{2}\times$(오각형 ABCDE의 넓이)에서

$4+\dfrac{5}{2}a=\dfrac{1}{2}\times15$, $\dfrac{5}{2}a=\dfrac{7}{2}$

$\therefore a=\dfrac{7}{5}$, 즉 $\mathrm{P}\left(3,\ \dfrac{7}{5}\right)$

따라서 두 점 $\mathrm{B}(-2,\ 2)$, $\mathrm{P}\left(3,\ \dfrac{7}{5}\right)$을 지나는 직선의 기울기는

$\dfrac{\dfrac{7}{5}-2}{3-(-2)}=-\dfrac{3}{5}\div5=-\dfrac{3}{25}$

> **전략**
>
> 점 B에서 $\overline{\mathrm{ED}}$에 내린 수선의 발을 F라 하고 오각형 ABCDE의 넓이를 사각형 ABFE의 넓이와 사각형 BCDF의 넓이로 나누어 구한다.

02 일차함수와 일차방정식

[확인 ❶] 답 ㉠: $y=\dfrac{3}{4}x+3$ ㉡: $y=\dfrac{3}{2}x$ ㉢: $y=-\dfrac{3}{2}x+3$

㉠ x절편이 -4, y절편이 3인 직선이므로

$y=\dfrac{3}{4}x+3$

㉡ 원점과 점 $(2, 3)$을 지나는 직선이므로

$y=\dfrac{3}{2}x$

㉢ x절편이 2, y절편이 3인 직선이므로

$y=-\dfrac{3}{2}x+3$

[확인 ❷] 답 $y=200-5x$

3분마다 $15\,\mathrm{L}$씩 물이 흘러나오므로 1분마다 $5\,\mathrm{L}$씩 물이 흘러나온다.

$\therefore y=200-5x$

[확인 ❸] 답 ㉠, ㉢

$3x-y-6=0$에서 $y=3x-6$

㉠ $y=3x-6$의 그래프의 x절편은 2, y절편은 -6이므로 그래프는 오른쪽 그림과 같다.

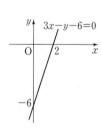

㉡ x절편과 y절편의 합은

$2+(-6)=-4$

㉢ 기울기가 서로 다르므로 일차함수 $y=-3x+1$의 그래프와 평행하지 않다.

따라서 옳은 것은 ㉠, ㉢이다.

[확인 ❹] 답 -1

두 일차방정식의 그래프의 교점의 x좌표가 2이므로

$x+2y=4$에 $x=2$를 대입하면

$2+2y=4$, $2y=2$ $\therefore y=1$

즉 두 일차방정식의 그래프의 교점의 좌표가 $(2, 1)$이므로

$ax+y=-1$에 $x=2$, $y=1$을 대입하면

$2a+1=-1$, $2a=-2$ $\therefore a=-1$

[확인 ❺] 답 1

두 직선의 교점이 2개 이상이려면 두 직선이 일치해야 하므로

$\dfrac{3-k}{2k-5}=\dfrac{2}{-3}$

$-3(3-k)=2(2k-5)$, $-9+3k=4k-10$

$\therefore k=1$

1-1 16	**1-2** 5
2-1 1	**2-2** $\frac{1}{2}$
3-1 1, -1	**3-2** 10
4-1 $\frac{2}{3}$	**4-2** $-\frac{3}{4}$
5-1 32	**5-2** $\frac{1}{2}$
6-1 $-\frac{4}{5}$	**6-2** 5
7-1 6	**7-2** -3
8-1 12	**8-2** 36

1-1 🔒 16

$2x-y+2=0$에서 $y=2x+2$

$x-2=0$에서 $x=2$

$y+2=0$에서 $y=-2$

두 직선 $2x-y+2=0$, $x-2=0$의 교점의 좌표는 $(2, 6)$, 두 직선 $2x-y+2=0$, $y+2=0$의 교점의 좌표는 $(-2, -2)$이다.

따라서 세 직선으로 둘러싸인 도형은 오른쪽 그림과 같으므로 그 넓이는

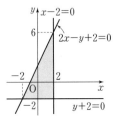

$\frac{1}{2} \times 4 \times 8 = 16$

1-2 🔒 5

연립방정식 $\begin{cases} x-y=4 \\ 3x+2y=2 \end{cases}$ 를 풀면 $x=2, y=-2$이므로 두 일차방정식의 그래프의 교점의 좌표는 $(2, -2)$이다.

따라서 두 일차방정식의 그래프와 y축으로 둘러싸인 도형은 오른쪽 그림과 같으므로 그 넓이는

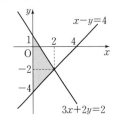

$\frac{1}{2} \times 5 \times 2 = 5$

2-1 🔒 1

$x+3=0$에서 $x=-3$

$y+k=0$에서 $y=-k$

$2x-4=0$에서 $2x=4$ $\therefore x=2$

네 직선으로 둘러싸인 도형은 오른쪽 그림과 같고 넓이가 20이므로

$5 \times 4k = 20$

$\therefore k=1$

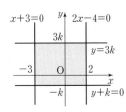

2-2 🔒 $\frac{1}{2}$

$ax-3+y=0$에서 $y=-ax+3$

두 직선 $ax-3+y=0$, $x=-3$의 교점의 좌표는 $(-3, 3a+3)$, 두 직선 $ax-3+y=0$, $x=1$의 교점의 좌표는 $(1, -a+3)$이다.

따라서 세 직선과 x축으로 둘러싸인 도형은 오른쪽 그림과 같고 넓이가 14이므로

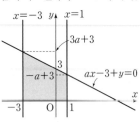

$\frac{1}{2} \times \{3a+3+(-a+3)\} \times 4$

$=14$

$\therefore a=\frac{1}{2}$

3-1 🔒 1, -1

$x+2=0$에서 $x=-2$

$y-3k=0$에서 $y=3k$

(ⅰ) $k>0$일 때

네 직선으로 둘러싸인 도형은 오른쪽 그림과 같고 넓이가 18이므로

$6 \times 3k = 18$

$\therefore k=1$

(ⅱ) $k<0$일 때

네 직선으로 둘러싸인 도형은 오른쪽 그림과 같고 넓이가 18이므로

$6 \times (-3k) = 18$

$\therefore k=-1$

(ⅰ), (ⅱ)에서 구하는 상수 k의 값은 1, -1이다.

3-2 🔒 10

$x+1=0$에서 $x=-1$

$y-3=0$에서 $y=3$

$2y+4=0$에서 $2y=-4$ $\therefore y=-2$

(ⅰ) $m<-1$일 때

네 직선으로 둘러싸인 도형은 오른쪽 그림과 같고 넓이가 10이므로 $(-1-m) \times 5 = 10$

$\therefore m=-3$

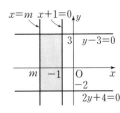

(ⅱ) $m>-1$일 때

네 직선으로 둘러싸인 도형은 오른쪽 그림과 같고 넓이가 10이므로 $(m+1) \times 5 = 10$

$\therefore m=1$

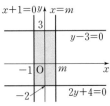

(i), (ii)에서 구하는 상수 m의 값은 -3, 1이므로
$a=1$, $b=-3$
$\therefore a^2+b^2=1^2+(-3)^2=10$

4-1 답 $\dfrac{2}{3}$

$2x+3y-12=0$에서 $y=-\dfrac{2}{3}x+4$

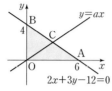

$y=-\dfrac{2}{3}x+4$의 그래프의 x절편은 6,

y절편은 4이므로
$A(6, 0)$, $B(0, 4)$
$\therefore \triangle OAB=\dfrac{1}{2}\times 6\times 4=12$

$y=-\dfrac{2}{3}x+4$의 그래프와 직선 $y=ax$의 교점의 좌표를 $C(p, q)$

라 하면

$\triangle OAC=\dfrac{1}{2}\times 6\times q=3q$

이때 $\triangle OAC=\dfrac{1}{2}\triangle OAB$이므로

$3q=\dfrac{1}{2}\times 12$ $\therefore q=2$

$y=-\dfrac{2}{3}x+4$에 $x=p$, $y=2$를 대입하면

$2=-\dfrac{2}{3}p+4$ $\therefore p=3$

따라서 $y=ax$에 $x=3$, $y=2$를 대입하면

$2=3a$ $\therefore a=\dfrac{2}{3}$

4-2 답 $-\dfrac{3}{4}$

$3x-4y-24=0$에서 $y=\dfrac{3}{4}x-6$

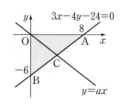

$y=\dfrac{3}{4}x-6$의 그래프의 x절편은 8,

y절편은 -6이므로
$A(8, 0)$, $B(0, -6)$
$\therefore \triangle OBA=\dfrac{1}{2}\times 8\times 6=24$

$y=\dfrac{3}{4}x-6$의 그래프와 직선 $y=ax$의 교점의 좌표를 $C(p, q)$라

하면

$\triangle OBC=\dfrac{1}{2}\times 6\times p=3p$

이때 $\triangle OBC=\dfrac{1}{2}\triangle OBA$이므로

$3p=\dfrac{1}{2}\times 24$ $\therefore p=4$

$y=\dfrac{3}{4}x-6$에 $x=4$, $y=q$를 대입하면

$q=3-6=-3$

따라서 $y=ax$에 $x=4$, $y=-3$을 대입하면

$-3=4a$ $\therefore a=-\dfrac{3}{4}$

5-1 답 32

$x-y+4=0$에서 $y=x+4$

$y=x+4$의 그래프의 x절편은 -4,

y절편은 4이므로
$A(-4, 0)$, $B(0, 4)$
$\therefore \triangle AOB=\dfrac{1}{2}\times 4\times 4=8$

$x+y-k=0$에서 $y=-x+k$

$y=-x+k$의 그래프의 y절편은 k이므로 $C(0, k)$

두 일차방정식 $x-y+4=0$, $x+y-k=0$의 그래프의 교점의 좌

표는 $D\left(\dfrac{k-4}{2}, \dfrac{k+4}{2}\right)$

$\therefore \triangle CBD=\dfrac{1}{2}\times (k-4)\times \dfrac{k-4}{2}=\dfrac{(k-4)^2}{4}$

이때 $\triangle AOB=\triangle CBD$이므로

$8=\dfrac{(k-4)^2}{4}$ $\therefore (k-4)^2=32$

5-2 답 $\dfrac{1}{2}$

$ax-y+b=0$에서 $y=ax+b$

$y=ax+b$의 그래프의 x절편은

$-\dfrac{b}{a}$, y절편은 b이므로

$A\left(-\dfrac{b}{a}, 0\right)$, $B(0, b)$

$\therefore \triangle AOB=\dfrac{1}{2}\times \dfrac{b}{a}\times b=\dfrac{b^2}{2a}$

$y=ax+b$의 그래프와 직선 $y=2x$의 교점의 좌표는

$C\left(\dfrac{b}{2-a}, \dfrac{2b}{2-a}\right)$

$\therefore \triangle CBO=\dfrac{1}{2}\times b\times \dfrac{b}{2-a}=\dfrac{b^2}{2(2-a)}$

이때 $\triangle AOB:\triangle CBO=3:1$이므로

$\triangle AOB=3\triangle CBO$에서

$\dfrac{b^2}{2a}=3\times \dfrac{b^2}{2(2-a)}$, $6ab^2=2b^2(2-a)$

이때 $b>0$이므로

$6a=2(2-a)$, $8a=4$

$\therefore a=\dfrac{1}{2}$

6-1 답 $-\dfrac{4}{5}$

연립방정식 $\begin{cases} x-y+3=0 \\ 3x+y+5=0 \end{cases}$ 을 풀면 $x=-2$, $y=1$

따라서 $2ax-4y-a=0$에 $x=-2$, $y=1$을 대입하면

$-4a-4-a=0$, $-5a=4$

$\therefore a=-\dfrac{4}{5}$

6-2 답 5

연립방정식 $\begin{cases} 3x+4y=7 \\ 3x-2y=1 \end{cases}$ 을 풀면 $x=1, y=1$

따라서 $ax-2y=3$에 $x=1, y=1$을 대입하면

$a-2=3$ ∴ $a=5$

7-1 답 6

세 직선의 기울기가 각각 다르므로 세 직선이 한 점에서 만날 때 삼각형을 이루지 않는다.

연립방정식 $\begin{cases} x-y=0 \\ x+y-4=0 \end{cases}$ 을 풀면 $x=2, y=2$

따라서 $10x-7y-a=0$에 $x=2, y=2$를 대입하면

$20-14-a=0$ ∴ $a=6$

7-2 답 -3

세 일차방정식의 그래프의 기울기가 각각 다르므로 세 일차방정식 그래프가 한 점에서 만날 때 삼각형을 이루지 않는다.

연립방정식 $\begin{cases} 2x-3y=-12 \\ 2x+y=12 \end{cases}$ 를 풀면 $x=3, y=6$

따라서 $x-y=a$에 $x=3, y=6$을 대입하면

$3-6=a$ ∴ $a=-3$

8-1 답 12

세 직선이 삼각형을 이루지 않는 경우는 세 직선 중 두 직선이 평행하거나 세 직선이 한 점에서 만나는 경우이다.

$x+y=3$에서 $y=-x+3$ ⋯⋯ ㉠

$4x-y=2$에서 $y=4x-2$ ⋯⋯ ㉡

$ax-y=-5$에서 $y=ax+5$ ⋯⋯ ㉢

(i) 두 직선 ㉠, ㉢이 평행할 때, $a=-1$

(ii) 두 직선 ㉡, ㉢이 평행할 때, $a=4$

(iii) 세 직선 ㉠, ㉡, ㉢이 한 점에서 만날 때

㉠, ㉡을 연립하여 풀면 $x=1, y=2$

㉢에 $x=1, y=2$를 대입하면

$2=a+5$ ∴ $a=-3$

(i) ~ (iii)에서 구하는 모든 상수 a의 값의 곱은

$-1 \times 4 \times (-3)=12$

8-2 답 36

세 직선이 삼각형을 이루지 않는 경우는 세 직선 중 두 직선이 평행하거나 세 직선이 한 점에서 만나는 경우이다.

$x-y=1$에서 $y=x-1$ ⋯⋯ ㉠

$3x+y=0$에서 $y=-3x$ ⋯⋯ ㉡

$4ax-8y+a=0$에서 $y=\dfrac{a}{2}x+\dfrac{a}{8}$ ⋯⋯ ㉢

(i) 두 직선 ㉠, ㉢이 평행할 때

$1=\dfrac{a}{2}$ ∴ $a=2$

(ii) 두 직선 ㉡, ㉢이 평행할 때

$-3=\dfrac{a}{2}$ ∴ $a=-6$

(iii) 세 직선 ㉠, ㉡, ㉢이 한 점에서 만날 때

㉠, ㉡을 연립하여 풀면 $x=\dfrac{1}{4}, y=-\dfrac{3}{4}$

㉢에 $x=\dfrac{1}{4}, y=-\dfrac{3}{4}$을 대입하면

$-\dfrac{3}{4}=\dfrac{a}{8}+\dfrac{a}{8}, \dfrac{1}{4}a=-\dfrac{3}{4}$

∴ $a=-3$

(i) ~ (iii)에서 구하는 모든 상수 a의 값의 곱은

$2 \times (-6) \times (-3)=36$

STEP 2 | 반드시 등수 올리는 문제   pp. 095～100

01 ⑤	**02** $y=3x-7$	**03** $y=4x-8$
04 16	**05** $(5, 0)$	**06** ①, ⑤
07 116곡	**08** 22.5℃	**09** 오후 2시 30분
10 ②	**11** $a=5, (-2, 1)$	
12 $(-3, -3)$	**13** 3	**14** 2
15 ⑤	**16** $-21, 15$	**17** $\dfrac{4}{3}$
18 30	**19** $y=-\dfrac{8}{3}x+\dfrac{4}{3}$	**20** $\dfrac{1}{2}$
21 $\dfrac{2}{3}$	**22** $y=\dfrac{7}{9}x$	**23** $\dfrac{61}{3}\pi$
24 $\dfrac{5}{2}$		

01 답 ⑤

두 점 $(-1, 10), (2, -2)$를 지나는 직선의 기울기는

$\dfrac{-2-10}{2-(-1)}=-4$

즉 $y=-4x+b$로 놓고 $x=-1, y=10$을 대입하면

$10=4+b$ ∴ $b=6$

따라서 $y=-4x+6$의 그래프의 y절편은 6이므로 직선

$y=-4x+6$과 y축 위에서 만나는 그래프를 나타내는 일차함수의 식은 ⑤이다.

> **전략**
>
> 두 점 $(-1, 10), (2, -2)$를 지나는 직선의 기울기를 구한 후 일차함수의 식을 구한다.

02 달 $y=3x-7$

두 점 $(-k, 6k-5)$, $(-2k+2, 3k+1)$을 지나는 직선의 기울기는

$$\frac{3k+1-(6k-5)}{-2k+2-(-k)}=\frac{-3(k-2)}{-(k-2)}=3$$

즉 $y=3x+b$로 놓고 $x=3$, $y=2$를 대입하면

$2=9+b$ $\therefore b=-7$

따라서 구하는 일차함수의 식은

$y=3x-7$

전략

두 직선이 평행하면 기울기가 같다.

03 달 $y=4x-8$

$\dfrac{x}{2}+\dfrac{y}{3}=1$에 $y=0$을 대입하면

$\dfrac{x}{2}=1$ $\therefore x=2$, 즉 $P(2, 0)$

$\dfrac{x}{3}-\dfrac{y}{4}=2$에 $x=0$을 대입하면

$-\dfrac{y}{4}=2$ $\therefore y=-8$, 즉 $Q(0, -8)$

두 점 $P(2, 0)$, $Q(0, -8)$을 지나는 직선의 기울기는

$$\frac{-8-0}{0-2}=4$$

따라서 구하는 일차함수의 식은 $y=4x-8$

전략

먼저 두 점 P, Q의 좌표를 구한다.

04 달 16

$f(1+3h)-f(1-h)=-8h$이므로

$$\frac{f(1+3h)-f(1-h)}{1+3h-(1-h)}=\frac{-8h}{4h}=-2$$

즉 일차함수 $y=f(x)$의 그래프의 기울기는 -2이다.

또 $y=f(x)$의 그래프가 $y=\dfrac{1}{4}x+8$의 그래프와 y축 위에서 만나

므로 y절편은 8이다.

$\therefore f(x)=-2x+8$

따라서 $f(x)=-2x+8$의 그래프와 x축,

y축으로 둘러싸인 도형은 오른쪽 그림과 같

으므로 그 넓이는

$$\frac{1}{2}\times4\times8=16$$

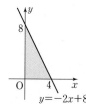

전략

$f(1+3h)-f(1-h)=-8h$임을 이용하여 일차함수 $y=f(x)$의 그
래프의 기울기를 구한다.

05 달 $(5, 0)$

$y=ax+2$에 $x=3$, $y=4$를 대입하면

$4=3a+2$, $3a=2$ $\therefore a=\dfrac{2}{3}$

즉 $y=\dfrac{2}{3}x+2$에 $x=k$, $y=8$을 대입하면

$8=\dfrac{2}{3}k+2$, $\dfrac{2}{3}k=6$ $\therefore k=9$

점 $A(3, 4)$와 x축에 대칭인 점을 A'이라 하면 $A'(3, -4)$

이때 $\overline{AP}=\overline{A'P}$이고

$\overline{AP}+\overline{PB}=\overline{A'P}+\overline{PB}\geq\overline{A'B}$이므로

$\overline{AP}+\overline{PB}$의 길이가 최소가 되게 하려

면 오른쪽 그림과 같이 점 P가 $\overline{A'B}$ 위

에 있어야 한다.

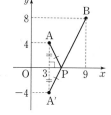

두 점 $A'(3, -4)$, $B(9, 8)$을 지나는

직선의 기울기는

$$\frac{8-(-4)}{9-3}=2$$

즉 $y=2x+b$로 놓고 $x=3$, $y=-4$를 대입하면

$-4=6+b$ $\therefore b=-10$

따라서 $y=2x-10$의 그래프의 x절편은 5이므로 점 P의 좌표는

$(5, 0)$이다.

전략

점 A와 x축에 대칭인 점의 좌표를 구한다.

06 달 ①, ⑤

① 양초에 불을 붙인 지 6분 후에 양초의 길이가 20 cm에서

12 cm로 줄어들었으므로 6분 동안 8 cm가 탔다. 즉 1분에

$\dfrac{8}{6}=\dfrac{4}{3}$ (cm)가 탔으므로 x와 y 사이의 관계식은

$$y=20-\frac{4}{3}x$$

따라서 y는 x에 대한 일차함수이다.

② $y=20-\dfrac{4}{3}x$의 그래프를 그리면 오른쪽

그림과 같으므로 그래프는 오른쪽 아래로

향하는 선분이다.

③ $y=20-\dfrac{4}{3}x$에 $y=0$을 대입하면

$0=20-\dfrac{4}{3}x$ $\therefore x=15$

따라서 양초가 모두 탈 때까지 걸리는 시간은 15분이다.

④ $y=20-\dfrac{4}{3}x$에 $x=12$를 대입하면

$y=20-\dfrac{4}{3}\times12=4$

따라서 양초에 불을 붙인 지 12분 후에 남은 양초의 길이는

4 cm이다.

⑤ 그래프와 x축, y축으로 둘러싸인 도형의 넓이는

$$\frac{1}{2}\times15\times20=150$$

따라서 옳은 것은 ①, ⑤이다.

전략

양초에 불을 붙이고 6분 동안 8 cm가 탔으므로 1분에 $\frac{8}{6}=\frac{4}{3}$ (cm)가 탔다.

07 답 116곡

한 달 동안 내려받은 음악 파일의 수를 x곡, 요금을 y원이라 하면

$y=6000+500(x-100)=500x-44000$

$y=500x-44000$에 $y=14000$을 대입하면

$14000=500x-44000$ $\therefore x=116$

따라서 한 달 동안 내려받은 음악 파일은 116곡이다.

전략

한 달 동안 내려받은 음악 파일의 수를 x곡이라 할 때, 한 곡당 내려받는 요금이 500원인 음악 파일의 수는 $(x-100)$곡이다.

08 답 22.5 ℃

기온이 5 ℃씩 올라갈 때마다 소리의 속력은 초속 3 m씩 늘어나므로 기온이 x ℃일 때 소리의 속력을 초속 y m라 하면

$y=331+\frac{3}{5}x$

4134 m 떨어진 곳에서 번개가 친 지 12초 후에 천둥소리가 들렸다면 소리의 속력은 초속 $\frac{4134}{12}$ m이므로

$\underset{\to\,344.5}{\qquad}$

$344.5=331+\frac{3}{5}x,\ \frac{3}{5}x=13.5$ $\therefore x=22.5$

따라서 기온은 22.5 ℃이다.

전략

주어진 표를 보고 기온이 x ℃일 때 소리의 속력을 초속 y m로 놓고 x, y 사이의 관계식을 세운다.

09 답 오후 2시 30분

처음 주사약의 양은 $3\times60+450=630$ (mL)이므로 주사를 x분 동안 맞았을 때 남아 있는 주사약의 양을 y mL라 하면

$y=630-3x$

$y=630-3x$에 $y=0$을 대입하면

$0=630-3x$ $\therefore x=210$

즉 주사를 다 맞는 데 걸리는 시간은 210분, 즉 3시간 30분이다.

따라서 주사를 다 맞은 시각이 오후 6시이므로 주사를 맞기 시작한 시각은 (오후 6시)$-$(3시간 30분)$=$(오후 2시 30분)

전략

먼저 처음 주사약의 양을 구한다.

10 답 ②

$ax-by+1=0$에서 $y=\frac{a}{b}x+\frac{1}{b}$

이때 이 그래프가 y축에 수직이고, 제3사분면과 제4사분면을 동시에 지나므로

$\frac{a}{b}=0,\ \frac{1}{b}<0$ $\therefore a=0,\ b<0$

전략

y축에 수직인 직선의 방정식은 $y=q\ (q\neq0)$의 꼴이다.

11 답 $a=5$, $(-2, 1)$

두 일차방정식의 교점이 직선 $y=2x+5$ 위에 있으므로 교점의 좌표를 $(k, 2k+5)$라 하자.

$3x+y+a=0$에 $x=k$, $y=2k+5$를 대입하면

$3k+(2k+5)+a=0$ $\therefore 5k+a=-5$ $\cdots\cdots$ ㉠

$x-2y+a-1=0$에 $x=k$, $y=2k+5$를 대입하면

$k-2(2k+5)+a-1=0$ $\therefore -3k+a=11$ $\cdots\cdots$ ㉡

㉠, ㉡을 연립하여 풀면 $k=-2$, $a=5$

따라서 두 일차방정식의 교점의 좌표는 $(-2, 1)$이다.

전략

두 일차방정식의 교점이 직선 $y=2x+5$ 위에 있으므로 교점의 좌표를 $(k, 2k+5)$라 하고, 이 교점의 좌표를 두 일차방정식에 대입한다.

12 답 $(-3, -3)$

두 점 $A(-5, 0)$, $C(-1, -6)$을 지나는 직선의 기울기는

$\frac{-6-0}{-1-(-5)}=-\frac{3}{2}$

즉 $y=-\frac{3}{2}x+b$로 놓고 $x=-5$, $y=0$을 대입하면

$0=\frac{15}{2}+b$ $\therefore b=-\frac{15}{2}$, 즉 $y=-\frac{3}{2}x-\frac{15}{2}$ $\cdots\cdots$ ㉠

두 점 $B(-5, -5)$, $O(0, 0)$을 지나는 직선의 기울기는

$\frac{0-(-5)}{0-(-5)}=1$

즉 $y=x+b'$으로 놓고 $x=0$, $y=0$을 대입하면

$0=0+b'$ $\therefore b'=0$, 즉 $y=x$ $\cdots\cdots$ ㉡

㉠, ㉡을 연립하여 풀면 $x=-3$, $y=-3$

따라서 두 대각선 AC, BO의 교점의 좌표는 $(-3, -3)$이다.

13 답 3

$mx-y+10=0$에서 $y=mx+10$

$13x+11y=248$에 $y=mx+10$을 대입하면

$13x+11(mx+10)=248$

$13x+11mx+110=248,\ (13+11m)x=138$

$\therefore x=\frac{138}{13+11m}$

이때 $138=2\times3\times23$이므로 x가 자연수가 되려면

$13+11m=1,\ 2,\ 3,\ 6,\ 23,\ 46,\ 69,\ 138$

$$\therefore m=-\frac{12}{11},\ -1,\ -\frac{10}{11},\ -\frac{7}{11},\ \frac{10}{11},\ 3,\ \frac{56}{11},\ \frac{125}{11}$$

따라서 구하는 자연수 m의 값은 3이다.

전략

두 식을 연립하여 x를 m에 대한 식으로 나타낸 후 교점의 x좌표가 자연수임을 이용한다.

참고

$m=3$일 때 $x=\dfrac{138}{13+11m}=\dfrac{138}{13+33}=3$

$y=3x+10$에 $x=3$을 대입하면 $y=3\times3+10=19$

14 **답** 2

연립방정식 $\begin{cases} x+3y-5=0 \\ ax-6y-b=0 \end{cases}$의 해가 무수히 많으므로

$\dfrac{1}{a}=\dfrac{3}{-6}=\dfrac{-5}{-b}$ $\quad\therefore a=-2,\ b=-10$

따라서 두 직선 $-2x-y-10=0$, $kx+y-2=0$이 서로 평행하

므로 $\dfrac{-2}{k}=\dfrac{-1}{1}\ne\dfrac{-10}{-2}$ $\quad\therefore k=2$

전략

연립방정식의 해가 무수히 많다.

➡ 두 일차방정식의 그래프가 일치한다.

15 **답** ⑤

연립방정식 $\begin{cases} ax+2y-4=0 \\ x-4y-b=0 \end{cases}$의 해가 무수히 많으므로

$\dfrac{a}{1}=\dfrac{2}{-4}=\dfrac{-4}{-b}$ $\quad\therefore a=-\dfrac{1}{2},\ b=-8$

$\therefore y=-\dfrac{1}{2}x-8$

⑤ $x-2y+10=0$에서 $y=\dfrac{1}{2}x+5$

즉 기울기가 다르므로 평행하지 않다.

16 **답** $-21,\ 15$

두 직선 $2x-y-3=0$, $ax-y+b=0$의 교점이 없으므로

$\dfrac{2}{a}=\dfrac{-1}{-1}\ne\dfrac{-3}{b}$ $\quad\therefore a=2,\ b\ne-3$

$2x-y-3=0$에 $y=0$을 대입하면

$2x-3=0,\ 2x=3$ $\quad\therefore x=\dfrac{3}{2}$, 즉 $\mathrm{P}\left(\dfrac{3}{2},\ 0\right)$

$ax-y+b=0$, 즉 $2x-y+b=0$에 $y=0$을 대입하면

$2x+b=0,\ 2x=-b$ $\quad\therefore x=-\dfrac{b}{2}$, 즉 $\mathrm{Q}\left(-\dfrac{b}{2},\ 0\right)$

이때 $\overline{\mathrm{PQ}}=9$이므로

$-\dfrac{b}{2}-\dfrac{3}{2}=9$ 또는 $\dfrac{3}{2}-\left(-\dfrac{b}{2}\right)=9$

$-\dfrac{b}{2}-\dfrac{3}{2}=9$에서 $b+3=-18$ $\quad\therefore b=-21$

$\dfrac{3}{2}-\left(-\dfrac{b}{2}\right)=9$에서 $3+b=18$ $\quad\therefore b=15$

따라서 구하는 b의 값은 $-21,\ 15$이다.

전략

두 직선의 교점이 없다. ➡ 두 직선이 서로 평행하다.

17 **답** $\dfrac{4}{3}$

두 직선 $ax+2y-8=0$, $x=2$의 교점의 좌표는 $(2,\ -a+4)$이

고, 두 직선 $ax+2y-8=0$, $x=4$의 교점의 좌표는 $(4,\ -2a+4)$

이다.

따라서 세 직선과 x축으로 둘러

싸인 도형의 넓이가 4이므로

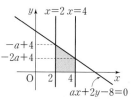

$\dfrac{1}{2}\times\{-a+4+(-2a+4)\}\times2$

$=4$

$-3a+8=4,\ 3a=4$ $\quad\therefore a=\dfrac{4}{3}$

전략

두 직선 $ax+2y-8=0$, $x=2$의 교점의 좌표와 두 직선

$ax+2y-8=0$, $x=4$의 교점의 좌표를 구한다.

18 **답** 30

두 점 $\mathrm{A}(3,\ 5)$, $\mathrm{B}(5,\ 3)$을 지나는 직선의 기울기는

$\dfrac{3-5}{5-3}=-1$

즉 $y=-x+b$로 놓고 $x=3,\ y=5$를 대입하면

$5=-3+b$ $\quad\therefore b=8$

따라서 직선 $y=-x+8$이 x축과 만나는 점 C의 좌표는 $(8,\ 0)$이

다.

연립방정식 $\begin{cases} y=-x+8 \\ y=3x \end{cases}$를 풀면 $x=2,\ y=6$

$\therefore \mathrm{P}(2,\ 6),\ \mathrm{H}(0,\ 6)$

사각형 OCPH는 오른쪽 그림과 같으

므로 그 넓이는

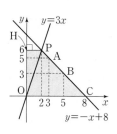

$\dfrac{1}{2}\times(2+8)\times6=30$

전략

점 C, P, H의 좌표를 구한 후 좌표평면 위에 나타낸다.

19 **답** $y=-\dfrac{8}{3}x+\dfrac{4}{3}$

$4x-y+8=0$에 $y=0$을 대입하면

$4x+8=0,\ 4x=-8$ $\quad\therefore x=-2$, 즉 $\mathrm{A}(-2,\ 0)$

$x+y-3=0$에 $y=0$을 대입하면

$x-3=0$ $\quad\therefore x=3$, 즉 $\mathrm{B}(3,\ 0)$

연립방정식 $\begin{cases} 4x-y+8=0 \\ x+y-3=0 \end{cases}$ 을 풀면

$x=-1,\ y=4$, 즉 $P(-1,4)$

$\therefore \triangle PAB = \dfrac{1}{2} \times 5 \times 4 = 10$

오른쪽 그림과 같이 구하는 직선이
x축과 만나는 점을 $C(c,0)$이라 하면

$\triangle PAC = \dfrac{1}{2} \times \{c-(-2)\} \times 4$

$\qquad\quad = 2(c+2)$

이때 $\triangle PAC = \dfrac{1}{2} \triangle PAB$이므로

$2(c+2) = \dfrac{1}{2} \times 10,\ 2c+4=5$

$2c=1 \qquad \therefore c=\dfrac{1}{2}$

두 점 $P(-1,4)$, $C\left(\dfrac{1}{2},0\right)$을 지나는 직선의 기울기는

$\dfrac{0-4}{\dfrac{1}{2}-(-1)} = -\dfrac{8}{3}$

즉 $y=-\dfrac{8}{3}x+b$로 놓고 $x=-1,\ y=4$를 대입하면

$4=\dfrac{8}{3}+b \qquad \therefore b=\dfrac{4}{3}$

따라서 구하는 직선의 방정식은 $y=-\dfrac{8}{3}x+\dfrac{4}{3}$

전략

먼저 점 P를 지나면서 $\triangle PAB$의 넓이를 이등분하는 직선이 x축과 만나는 점의 좌표를 구한다.

20 답 $\dfrac{1}{2}$

오른쪽 그림과 같이 네 직선
$x=2$, $x=4$, $y=-2$, $y=5$의 교점
을 각각 A, B, C, D라 하면
(사각형 ABCD의 넓이)
$=2 \times 7 = 14$

일차함수 $y=ax$의 그래프가 사각
형 ABCD의 넓이를 이등분할 때,
$y=ax$의 그래프가 $\overline{AB}$, $\overline{CD}$와 만나는 점을 각각 E, F라 하면
$E(2,2a)$, $F(4,4a)$

(사각형 AEFD의 넓이) $=\dfrac{1}{2} \times \{(5-2a)+(5-4a)\} \times 2$

$\qquad\qquad\qquad\qquad\qquad = -6a+10$

이때 (사각형 AEFD의 넓이) $=\dfrac{1}{2} \times$ (사각형 ABCD의 넓이)이
므로

$-6a+10 = \dfrac{1}{2} \times 14,\ -6a=-3 \qquad \therefore a=\dfrac{1}{2}$

전략

$y=ax$의 그래프와 직선 $x=2$, $x=4$와 만나는 점을 각각 E, F라 하고
두 점 E, F의 좌표를 각각 구한다.

21 답 $\dfrac{2}{3}$

$E(3, 3a+2)$, $F(6, 6a+2)$이므로
$\overline{BE} = (3a+2)-2 = 3a$, $\overline{FC} = (6a+2)-2 = 6a$

$\therefore$ (사각형 EBCF의 넓이) $=\dfrac{1}{2} \times (3a+6a) \times 3 = \dfrac{27}{2}a$

이때 (사각형 EBCF의 넓이) $=\dfrac{3}{8} \times$ (사각형 ABCD의 넓이)이
므로

$\dfrac{27}{2}a = \dfrac{3}{8} \times (3 \times 8),\ \dfrac{27}{2}a = 9 \qquad \therefore a = \dfrac{2}{3}$

전략

(사각형 AEFD의 넓이) : (사각형 EBCF의 넓이) $=5:3$이므로

(사각형 EBCF의 넓이) $=\dfrac{3}{8} \times$ (사각형 ABCD의 넓이)

22 답 $y=\dfrac{7}{9}x$

점 C에서 x축에 내린 수선의 발을
P라 하면 $P(3,0)$
(사각형 EOPD의 넓이) $=3 \times 3 = 9$
(사각형 CPAB의 넓이) $=2 \times 1 = 2$

$\therefore$ (주어진 도형의 넓이)

$\qquad =$ (사각형 EOPD의 넓이) $+$ (사각형 CPAB의 넓이)

$\qquad = 9+2 = 11$

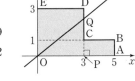

직선 l을 $y=ax$라 하고, 직선 l은 $\overline{CD}$ 위의 점을 지나므로
직선 l이 $\overline{CD}$와 만나는 점을 Q라 하면 $Q(3, 3a)$

(사각형 EOQD의 넓이) $=\dfrac{1}{2} \times \{3+(3-3a)\} \times 3 = \dfrac{18-9a}{2}$

이때 직선 l이 주어진 도형의 넓이를 이등분하므로

$\dfrac{18-9a}{2} = \dfrac{1}{2} \times 11,\ 18-9a = 11$

$9a = 7 \qquad \therefore a = \dfrac{7}{9}$

따라서 구하는 직선 l의 방정식은 $y=\dfrac{7}{9}x$

참고

직선 l이 $\overline{CD}$ 위의 점을 지나는 이유

(i) 직선 l이 점 D를 지날 때

$\triangle EOD = \dfrac{1}{2} \times 3 \times 3 = \dfrac{9}{2} < \dfrac{11}{2}$

따라서 직선 l은 $\overline{ED}$ 위의 점을 지나
지 않는다.

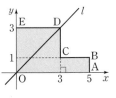

(ii) 직선 l이 점 C를 지날 때

(사각형 COAB의 넓이)

$= \dfrac{1}{2} \times (5+2) \times 1 = \dfrac{7}{2} < \dfrac{11}{2}$

따라서 직선 l은 $\overline{AB}$, $\overline{BC}$ 위의 점을
지나지 않는다.

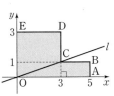

23 답 $\dfrac{61}{3}\pi$

$y=-x+4$의 그래프의 x절편은 4, y절편은 4이고 $y=2x+1$의 그래프의 y절편은 1이다.

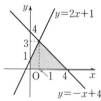

연립방정식 $\begin{cases} y=-x+4 \\ y=2x+1 \end{cases}$ 을 풀면

$x=1, y=3$

따라서 두 직선의 교점의 좌표는 $(1, 3)$이다.

네 직선 $y=-x+4$, $y=2x+1$, $x=0$, $y=0$으로 둘러싸인 도형을 y축을 축으로 하여 1회전시킬 때 만들어지는 입체도형은 오른쪽 그림과 같으므로

(부피)$=\dfrac{1}{3}\times(\pi\times4^2)\times4-\dfrac{1}{3}\times(\pi\times1^2)\times1-\dfrac{1}{3}\times(\pi\times1^2)\times2$

$=\dfrac{61}{3}\pi$

전략

밑면인 원의 반지름의 길이가 r, 높이가 h인 원뿔의 부피 V는
$V=\dfrac{1}{3}\pi r^2 h$

24 답 $\dfrac{5}{2}$

서로 다른 세 직선으로 좌표평면이 4개의 부분으로 나누어지므로 세 직선이 모두 평행해야 한다.

$ax+y+1=0$에서 $y=-ax-1$

$x+by+3=0$에서 $y=-\dfrac{1}{b}x-\dfrac{3}{b}$

$2x+y+5=0$에서 $y=-2x-5$

따라서 $-a=-\dfrac{1}{b}=-2$이므로 $a=2, b=\dfrac{1}{2}$

$\therefore a+b=2+\dfrac{1}{2}=\dfrac{5}{2}$

전략

서로 다른 세 직선에 의하여 좌표평면이 4개의 부분으로 나누어지는 경우에는 세 직선이 서로 평행하다.

STEP 3 전교 1등 확실하게 굳히는 문제   pp. 101 ~ 103

1 (1) $y=4x-30$ (2) $\dfrac{15}{2}$ (3) $-\dfrac{8}{3}$ **2** ㉠, ㉢

3 5   **4** $-1<k<2$ **5** 11

6 (1) 물통 A : 3 L, 물통 B : 2 L (2) 9초 후, 30 L

1 답 (1) $y=4x-30$ (2) $\dfrac{15}{2}$ (3) $-\dfrac{8}{3}$

(1) 두 점 $C(6, 4)$, $M(5, 0)$을 지나는 직선의 기울기는

$\dfrac{0-4}{5-6}=4$

이므로 두 점 B, N을 지나는 직선의 기울기도 4이다.

즉 $y=4x+b$로 놓고 $x=9, y=6$을 대입하면

$6=36+b$ $\therefore b=-30$

따라서 두 점 B, N을 지나는 직선을 그래프로 하는 일차함수의 식은 $y=4x-30$ ······ 40 %

(2) $y=4x-30$에 $y=0$을 대입하면

$0=4x-30, 4x=30$ $\therefore x=\dfrac{15}{2}$

$\therefore N\left(\dfrac{15}{2}, 0\right)$ ······ 30 %

(3) 두 점 $C(6, 4)$, $N\left(\dfrac{15}{2}, 0\right)$을 지나는 직선의 기울기는

$\dfrac{0-4}{\dfrac{15}{2}-6}=-4\div\dfrac{3}{2}=-\dfrac{8}{3}$ ······ 30 %

전략

직선 CM과 두 점 B, N을 지나는 직선이 평행하므로
△CMN＝△CMB

2 답 ㉠, ㉢

㉠ 직선 l이 y축에 평행하려면 $x=p(p\neq0)$의 꼴이어야 하므로

$k+1=0$ $\therefore k=-1$

㉡ $(2-k)x+(k+1)y+k+2=0$에서

$y=\dfrac{k-2}{k+1}x-\dfrac{k+2}{k+1}$

이때 $\dfrac{k-2}{k+1}=1$을 만족하는 k의 값은 존재하지 않는다.

㉢ $(2-k)x+(k+1)y+k+2=0$에서

$(2x+y+2)+k(-x+y+1)=0$

이때 $2x+y+2=0$, $-x+y+1=0$이어야 하므로 두 식을 연립하여 풀면

$x=-\dfrac{1}{3}, y=-\dfrac{4}{3}$

따라서 직선의 방정식 $(2-k)x+(k+1)y+k+2=0$이 k의 값에 관계없이 항상 지나는 점의 좌표는 $\left(-\dfrac{1}{3}, -\dfrac{4}{3}\right)$이므로 제3사분면 위에 있다.

따라서 옳은 것은 ㉠, ㉢이다.

전략

㉡에서 기울기가 1이 되려면 $\dfrac{k-2}{k+1}=1$이어야 한다.

이때 $k-2=k+1$을 만족하는 k의 값은 없다.

㉢에서 k의 값에 관계없이 식이 성립해야 하므로 $0+0\times k=0$의 꼴로 나타낸다.

3 답 5

점 $A(6, 2)$와 x축에 대칭인 점을 A'이라 하면 $A'(6, -2)$
점 $B(3, 4)$와 y축에 대칭인 점을 B'이라 하면 $B'(-3, 4)$
이때 $\overline{AP}=\overline{A'P}$, $\overline{BQ}=\overline{B'Q}$이고
$\overline{AP}+\overline{PQ}+\overline{QB}=\overline{A'P}+\overline{PQ}+\overline{QB'}\geq\overline{A'B'}$이므로
$\overline{AP}+\overline{PQ}+\overline{QB}$의 길이가 최소가 되게 하려면 다음 그림과 같이
두 점 P, Q가 $\overline{A'B'}$ 위에 있어야 한다.

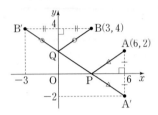

두 점 $A'(6, -2)$, $B'(-3, 4)$를 지나는 직선의 기울기는
$$\frac{4-(-2)}{-3-6}=-\frac{2}{3}$$
즉 $y=-\frac{2}{3}x+k$로 놓고 $x=6$, $y=-2$를 대입하면
$$-2=-4+k \qquad \therefore k=2$$
따라서 $y=-\frac{2}{3}x+2$의 그래프의 x절편은 3, y절편은 2이므로
$P(3, 0)$, $Q(0, 2)$에서 $a=3$, $b=2$
$$\therefore a+b=3+2=5$$

> **전략**
> 점 A와 x축에 대칭인 점의 좌표, 점 B와 y축에 대칭인 점의 좌표를 각각 구한다.

4 답 $-1<k<2$

두 일차방정식 $x-y=0$, $3x-4y-1=0$의 그래프의 교점의 좌표는 $(-1, -1)$이고, 두 일차방정식 $3x-4y-1=0$, $2x-y-4=0$의 그래프의 교점의 좌표는 $(3, 2)$이다.
주어진 세 일차방정식의 그래프와 직선 $y=k$의 왼쪽에서 오른쪽으로의 교점의 배열이 A, B, C가 되려면 다음 그림의 색칠한 부분에 직선 $y=k$가 있어야 한다.

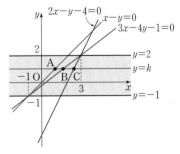

$$\therefore -1<k<2$$

> **전략**
> 먼저 세 일차방정식의 그래프를 좌표평면 위에 나타내고 교점의 배열을 생각하여 직선 $y=k$가 있어야 하는 부분을 생각해 본다.

5 답 11

$$\begin{cases} 3x+2y+1=0 & \cdots\cdots \text{㉠} \\ 2x-6y+8=0 & \cdots\cdots \text{㉡} \\ 4x-y-6=0 & \cdots\cdots \text{㉢} \end{cases} \qquad \begin{cases} 6x+4y-8=0 & \cdots\cdots \text{㉣} \\ x-3y+6=0 & \cdots\cdots \text{㉤} \\ 4x-y-c=0 & \cdots\cdots \text{㉥} \end{cases}$$

세 직선을 평행이동하여도 기울기는 변함이 없으므로
㉠ → ㉣, ㉡ → ㉤, ㉢ → ㉥으로 평행이동한 것이다.
두 직선 ㉠, ㉡의 교점의 좌표는 $(-1, 1)$,
두 직선 ㉡, ㉢의 교점의 좌표는 $(2, 2)$,
두 직선 ㉣, ㉤의 교점의 좌표는 $(0, 2)$이다.
이때 두 직선 ㉠, ㉡의 교점 $(-1, 1)$이 두 직선 ㉣, ㉤의 교점 $(0, 2)$로 평행이동하였으므로 x축의 방향으로 1만큼, y축의 방향으로 1만큼 평행이동한 것이다.
$$\therefore a=1, b=1$$
따라서 두 직선 ㉡, ㉢의 교점 $(2, 2)$가 x축의 방향으로 1만큼, y축의 방향으로 1만큼 평행이동하면 $(3, 3)$이다.
직선 ㉥이 점 $(3, 3)$을 지나므로
$4x-y-c=0$에 $x=3$, $y=3$을 대입하면
$$12-3-c=0 \qquad \therefore c=9$$
$$\therefore a+b+c=1+1+9=11$$

> **전략**
> 점 $(-1, 1)$이 점 $(0, 2)$로 평행이동하였으므로 x축의 방향으로 1만큼, y축의 방향으로 1만큼 평행이동한 것이다.

6 답 (1) 물통 A : 3 L, 물통 B : 2 L (2) 9초 후, 30 L

(1) 물통 A에는 19초 동안 물이 $60-3=57$ (L) 채워졌으므로
1초 동안에 $\frac{57}{19}=3$ (L)씩 채워진다.
물통 B에는 24초 동안 물이 $60-12=48$ (L) 채워졌으므로
1초 동안에 $\frac{48}{24}=2$ (L)씩 채워진다.

(2) 물통 A의 그래프는 기울기가 3이고 y절편이 3이므로
$$y=3x+3 \qquad\qquad \cdots\cdots \text{㉠}$$
물통 B의 그래프는 기울기가 2이고 y절편이 12이므로
$$y=2x+12 \qquad\qquad \cdots\cdots \text{㉡}$$
㉠, ㉡을 연립하여 풀면 $x=9$, $y=30$
따라서 두 물통 A, B에 채워진 물의 양이 같아지는 것은 물을 채우기 시작한 지 9초 후이고, 그때의 물의 양은 30 L이다.

> **전략**
> 물통 A와 물통 B의 그래프가 나타내는 일차함수의 식을 구한다.

최강 TOT

정답과 풀이

상위권에게만 허락되는 도전

1등급 비밀
최강 TOT 수학

TOP
OF THE
TOP

1등급 비밀!

상위권 심화 문제집
최강 TOT 중학수학 중1~3학년, 학기용

- 강남 상위권의 비밀을 담은 문제집
- 작은 차이로 실력을 높이는 고난도 수학
- 진짜 수학 잘하는 학생이 보는 상위권 필수 교재